増補改訂版

生活革命＝玄米正食法

石田英湾［著］

新泉社

生活革命＝玄米正食法

生活革命＝玄米正食法　目次

娘と玄米食

玄米食をはじめる

私の家の玄米食は、娘の誕生とともにはじまりました。もし長女が生まれなかったら、私達と玄米との縁が生まれたかどうか疑問です。玄米は長女の生命の恩人であり、長女は私とわが家の生命の恩人となったのです。

長女は一九六四（昭和三九）年一一月、長男の生まれた二年後に生まれました。その当時、私は食養ということも、玄米食ということも、まったく知りませんでした。知らないどころか現代栄養学の盲信者で、毎日毎食、栄養のある食べものを漁っていました。例えば、一日に一度は必ず肉か魚を食べ、卵や牛乳、チーズ、バターは毎日摂り、果物は食後に欠かさず、それでも足りなくてはいけないと思って、ビタミン剤や、ミネラル剤と称される栄養保健薬も用いていたのです。その頃の体調はいつも不良で、そのためにますます栄養を摂らなくてはという栄養学の熱心な信奉者になっていくのでした。

長女が生まれて三カ月後のことです。どういう加減からか、長女の食欲が減退しはじめてきました。同時に、口に入れたものを吐き出すようになりました。

私は栄養学の盲信者ですから、現代医学をも盲信していたのは当然です。身体の具合が悪ければすぐ医者へ、というのがわが家の長い間の風習でしたので、娘の変調に気づくと、すぐにかかりつけの小児科医院通いがはじまったわけです。

長女の症状は、高熱を出したとか、おなかをこわして下痢とか便秘が続いているとか、呼吸が困難になっているとか、そういった急性的な症状ではなく、食欲が減退して飲んだものを吐く程度でしたので、最初のうちはそう重大に考えませんでした。小児科医も私達同様、しばらく薬を飲ませれば、そのうちに元気を回復するでしょうという簡単な気持ちのようでした。

ところがどうでしょう。医者でいただいた薬を飲ませはじめましたら、症状が一段とはげしくなったのです。吐き方が一段と強まり、吐く量も倍加してきました。

私も医者も、この薬がこの娘の体質に合わなかったのだろうと考え、医者は薬の調合にいろいろと工夫をこらしました。しかし娘の症状は鎮静するどころか、ますますはげしくなるばかりです。吐き方がはげしくなれば衰弱もはげしくなります。

私達は娘の衰弱を見かねて、薬を変えてみるのと同様に、医者も変えてみることにしました。こうして、病院巡礼がはじまったのです。

巡礼とは本来、生命力を強め、生命力を強めてくれるものへの感謝の〝行〟のひとつなのでしょうが、病院巡礼にもその気持ちがこめられているのは事実です。病院をめぐって、すこしでも早く健康になりたい、そんな願いなのです。私達もその気持ちに変わりありません。Aの病院で駄目ならBの病院で、Bの病院で駄目ならCで、Cも思わしくないならDこそと、ますます病院と医者を頼る気持ちが強まっていきます。

しかしどうしたわけか、どこの医者も、娘の病気が何なのか、どう手当てをしたらよいのか、的確な処方を講じられないのです。その果てが、G大学附属病院送りとなりました。その理由は設備の整ったところで精密検査の必要がある、ということなのです。

私達は、お医者さまさま、病院さまさまです。お医者さまこそすべてであり、病院さまこそすべてですので、こうしたほうがよい、ああしなさいといわれれば、なにはさて置き、それに頼ります。目の玉の飛び出るほどのベラボーな薬代でも、何とかかんとか工面して払っていきます。しかし、不思議なことに、薬が高価になればなるほど、娘ははげしく吐くのです。ついにはケイレンをひき起こしはじめました。

G大学附属病院で、娘は拷問にかけられるような検査です。精密検査をしなくては、この娘の病気の治しようがないというのですから、ねぇがまんしておくれ、ねぇ泣かないでおくれと、祈る気持ちで私達は立ち会っていました。

必死の抵抗というのでしょうか。生後四カ月に満たない娘が、必死になって、あの拷問のような検査に抵抗するのです。拒絶するのです。ありったけの力をこめて泣き、ありったけの力をこめて採血の針や、食道に差し込まれる医療器具を拒むのです。

すでに衰えきっている娘は、腕や足や股に血管を探されても血管が浮き出ません。しかし突き差した針は、ガリガリと音を立てて、肉を掻きむしっているのではないかと思われる動きで血管を探り当てようとします。

痛いだろう、苦しいだろうと思っても、私達は、なんら手のほどこしようがありません。お医者さまのいうとおりにするんですよ、という気持ちと方法しかないのです。何と薄情な、何と意気地なしの、何とダラシない親だったでしょう。子どもを勝手に生んで、その子を丈夫に育てられないで、苦しく痛い思いをさせた果てに拷問の苦痛を与え、それでもなお手の出しようがなく、医者という他人まかせなのです。実は、私達は、親の資格のない親だったのです。

親の恰好をしていただけで、自分で生んだ子を自分で育てられないという、動物にもはるかに劣る親だったのです。

「検査の結果は一週間後に出ます。一週間たったら、指定の時間にまた来て下さい。その間の薬を調合しましょう」

この一週間の、なんと長かったことか。この間の娘の容態は悪化の一途です。もう、何をやってもお腹に入っていきません。薬はいうまでもなく、番茶でも、ミルク（粉ミルク、脱脂ミルク、練りミルク、牛乳、豆乳）、ジュース類、スープ類、わずかに出ていた母乳さえ、口に入れた量の三倍から五倍にしてすぐ吐き出してしまうのでした。そして、その時の苦しそうな様子ったらありません。いまにも窒息死するのではないかと幾度思ったかしれません。

こんな状態ですから、娘はすっかり衰弱しきってしまいました。身体は萎《しな》びた風船のようにぶよぶよとなり、皮膚は土色がかった灰色です。

妻はノイローゼ気味です。私は、なにか栄養となるものをと、東京へ出てはフードセンターなどへ行って、外国の乳製品やミルク状のもののなかに、娘に適するものがないかと、病院巡礼の合い間に栄養食品巡礼です。こうしたことが、親としてのせめてもの務めであり、娘への愛情だと信じていたのです。

こうして検査結果を待つ一週間が過ぎました。結果がわかれば救われる、私も妻もそう信じての検査結果待ちでした。

その日、妻は衰えきった長女を抱きしめてＧ大学附属病院へ行きました。ところがその日は何の確たる報告もありません。ただ、明日ご主人同道で来るように、との指示です。

翌日、私と妻は一番で大学病院へ行きました。そして主任医師から、私達としては想像もできない宣告をされたのです。娘の主任医師は次のように宣告したのです。

「大変申しあげにくいことですが、お子さんの症状については、はっきりした原因がわかりません。原因がわからない状態ですから、治療の見通しが立たず、私達としては現状では方法がありません」

「エッ！」

私は驚きの叫び声を上げたほどです。私はわが国の現代医学と医療技術を信頼しきっていましたので、治療法がないなどということは想像もしていなかったのです。

「この、日本のすぐれた医学でですか？」

私は、そうたずねたほどです。

「はい、申しあげにくいことですが、あきらめて下さい」

「はあ？」

私も妻も、断崖から突き落とされたように、しばらくのあいだ言葉もありません。あきらめてという意味は何なのか、とっさにはわかりませんでした。

「そんな、バカな！」

私は、思わずそうつぶやきました。わが国の医学は世界最高の水準にあると理解していました。だから何とかなると信じていました。しかし、これは大きな錯覚だったのです。医学水準は世界最高だとしても、医学万能ではないのです。自分の身体を医者まかせ薬まかせで生活してきた無批判性が医学万能の盲信となって、私達は錯覚に気づかなかったのです。

それにしても、いま考えると私達は、良心的な医者にお世話になれたのでした。もしも、娘を担当した主任医師が医師としてのメンツや体裁を少しでも気にかける人でしたら、こうまで率直に実情を述べてくれたかどうかわかりません。反対に、きっとよくなりますから、ああしてみましょう、こうしてみましょうで、ついに生命の切れるまで見通しのないまま扱われていたとしても、それまでだったのです。そうして、娘を救えなかったとしても、私達は文句のつけようもいいようもありませんし、医師側にしても現代の医療制度では非難されるところはなかったのです。それを、私の娘の主任医師は己をとりつくろわずに非力を表明したのです。この率直な表明がなかったら……。

とにかく私達は信頼しきっていた大学病院と主任医師に見離されて、とぼとぼと家へ帰りました。その一方、私はこれからどうせねばならないかを、必死に求めはじめていました。

そして思い当たったのが、食べものによる病気治療法があるということでした。現代医学で尽せるだけのことを努力してみて、それで見離されたのですから、もう現代医学に頼ることはできません。なんとか別の方法はないものかという心の動きは自然の流れだったのでしょう。食べものによる病気治療ということに気づくことができたのは、次のようないきさつがあります。

それは娘の生まれるちょうど一年ほど前のことでした。当時、私の会社が作った新製品の取引を大阪のY社とはじめることとなり、Y社の山本耕蔵専務（当時）が私どもの工場に見学に来ました。新製品の販売営業担当の私は山本専務の接待に当たったのです。彼は列車の中で読むために、正食協会から発行されていた『健康と平和』（『むすび』の前身名）という雑誌を持ってきていたのです。

接待の食事の席で、彼から玄米食や食養の話が出ました。しかし、現代西洋栄養学の信奉者の私は、彼の話を聞いてもチンプンカンプンで、そんな栄養学はあるもんかと彼の述べる話を無視していたのです。「食べもので病気が治せる？　そんなバカな」と、腹の中ではそうあざ笑っていたのです。あの時、あざ笑ったそのことだけが、わずかに記憶に残ったようなありさまでした。彼はひと通り話したほかに、持参してきた『健康と平和』を私にプレゼントして帰ったのでした。

娘の病気に途方にくれてみて、はじめて私は、食べもので病気が治せるということと、家の本棚のどこかに、山本氏から頂いた『健康と平和』があるはずだということを思い出しました。私は病院から家へ戻ると、夢中で『健康と平和』を探し出しました。

窮すれば通ずるというか、「求めよ、さらば与えられん」です。山本氏との縁を思い出させてくれたのは、天の恵みとしか考えられません。『健康と平和』が見つかったのです。

私はすぐに、食養新生会（現在の正食協会）へ電話しました。電話に出られたのが、故岡田周三氏（元協会長）でした。

その時の私がどんなありさまだったか、まったく憶えておりません。おそらく無我夢中で、こちらのいいたいことだけを勝手に述べたことでしょう。それに対して、岡田氏は玄米ミルクの作り方、飲ませ方のポイントなどをわかりやすく指示してくれました。

妻は私より真剣です。すぐにお米屋さんから玄米を買ってきて、玄米のおかゆをこしらえ、それをさらに薄めて濾《こ》してミルク状にしました。そして哺乳ビンに入れて、娘の口に含ませたのです。この頃の娘は、もうどんなものを口に含ませようとしても、乳首を近づけると哺乳ビンの中のもののニオイか何かで反応するのか、口をふさいで、乳首を拒絶してしまうのでした。

それがどうでしょう。妻は、おそるおそる、玄米ミルクを入れた乳首を娘の口に近づけます。娘の表情が、いままでのような不快と苦痛を訴える、私達にとっては恐怖となっていた、あの表情とならないのです。それどころか、やや様子を窺ってから、乳首に自分から吸いつくように口を動かしはじめたではありませんか。その頃の娘には、丈夫で元気な赤ちゃんが示す、あのむさぼりつく力はありません。無理にでも注入してやらなくては、飲みこむ力が失せてしまっているような状態なのでした。かといって、無理に注ぎこもうものなら、その次の瞬間には、どこにそれほどの力があるのかと思われる拒否反応で、注入したものを三〜五倍にして、吐き出してくるのです。

しかし、玄米ミルクはどうでしょう。娘は数滴しか飲みこめないのですが、十分たち、二十分、三十分たっても吐き出しません。この時の私達の嬉しさといったら、文字では上手に表現できません。驚喜といったらよいでしょうか。ほっとして、全身の力が抜けるような嬉しさでした。それと同時に、すぐに疑問が湧いてきました。なぜ玄米ミルクは吐かないのか、という疑問です。

最初の三日間ほどは、飲みこんだといってもほんの少量でしたが、それでも一度も吐き出しません。これが何よりありがたいことでした。

こうして玄米ミルクが娘のお腹に落ちつくようになって、次第に飲む量も増えてきました。娘の身体にも、表情にも、生気が戻りつつあるのを感じられるようになってきました。塩気をちょっぴり加えただけの玄米ミルク、それが娘の生命を救ったのです。

その頃、私達は玄米の正しい料理法や食事法、食事療法など、何も知りませんでした。娘がようやく元気になるのを見つめながら、馳けこみの玄米食勉強でした。それゆえ、食養療法の微妙なサジ加減や応急手当てを的確に上手にできるわけがありません。娘を一日も早く丈夫にしたいばかりに、玄米ミルクの味つけの塩の量を、教えられたよりもやや多く与え過ぎてしまいました。毎度、塩を加える必要はなかったのです。時たま、ほんのチョッピリ入れる程度の、味など感じられない味つけでよかったのです。塩加減は唯一の失敗でした。しかし、いずれにせよ、玄米のおかげで、娘は救われました。

今も、先天性代謝異常の明確な原因は突き止められていません。現代人の身体は、食生活や環境の変化、公害物質による汚染の複合化によって、代謝機能を狂わされる状態に閉じ込められています。

母体や胎児や新生児が、これらの影響と被害を逃れるわけにはいきません。原因が複雑多様すぎて特定できぬゆえ治療法を確立できない。現代文明病の特徴かもしれません。娘の病気が先天性代謝異常だったと決めることはできませんが、私の観察した範囲ではそのように思えてなりません。なぜこんな異常が起こるのか、私は考えてみました。

私は虚弱体質でしたので、薬の大ファンでした。中学生の後半頃から、何かしらの薬を手離したことのない状態でした。妻の方は、私とは違って丈夫で健康でしたので薬とは縁はなかったのですが、栄養バランスにはやかましい育ちでした。ですから、この二人が夫婦となったのは西洋薬学と西洋栄養学が一体化したようなものでした。

私は栄養食と称される食事を豊富に食べた上に薬や栄養剤を飲み、妻は従来の栄養ある食事に加えて、時たまですが栄養剤的なものを飲むようになったのでした。このような生活を文化的で賢い生活だと思いこんでいたのです。

汚染された環境の影響もありますが、娘は自分の生死を賭けて、私達の食生活の間違いを知らせてくれたのでした。新生児の先天性代謝異常は、両親の生活の誤りの表現である、と私には考えられます。

妻は、もともと薬物は大嫌いで縁のない生活をしていたのに、私の影響で、娘を妊娠するとビタミン剤を服用しはじめました。大変健康な体質だっただけに、薬の効果は実に顕著です。つわり止めや、顔に出るシミを予防したいと思って服用したビタミンC剤など、これらがストレートに胎児の健康を狂わす原因となったのかもしれません。妻は化学薬品を常用していたわけではありません。ですから、この程度の子供への影響で済んだのかもしれません。もっと多量に、ほかでも薬を服用していたなら、アメリカの環境衛生学者ゴードン・パークの指摘通り、「日本で生まれる赤ん坊の二〇パーセントは奇形になるだろう」(『奇形児はなぜ』田村豊幸著　農山漁村文化協会)の一員に娘をしてしまっていたかもしれません。

私は長年にわたって薬を常用していましたので、関節や首筋の硬化が同年輩の普通の人に較べると、かなり進行しています。化学物質は首や関節部に特に沈着する傾向があるようです。生物の本能は不純物を脳細胞に入れさせないために、首を関所として侵入を防ぐのです。永年にわたって薬物類や化学製品を常用している人の首筋は、鉄板をはめこんだように硬くなるようです。

今は娘も私も玄米食のおかげで、首筋を硬化させている不純物を大分排除することができてきました。玄米食の威力は驚くばかりです。

最近、「妊娠したら薬に注意」が叫ばれはじめています。薬は奇形児をつくるばかりではなく、さまざまな障害児の生まれる原因になっています。妊娠したら薬に注意ではなく、妊娠するずっと以前から薬には絶対注意しなければならないのです。「青年男女は、いかなる薬にも縁のない生活をして、結婚に備えなくてはいけない」のです。

生後三カ月の娘が、生死を賭けて吐きに吐き続け、ケイレンをもって薬物や化学製品を拒否したのは、人工の不純物を排除し拒絶する崇高な本能の反応だったに違いありません。

長男の時はかなり出た母乳が、長女の時はほとんど出ませんでした。私達は、娘の発育が思わしくなかったので、せめて母乳だけでも十分にあげられればどんなに助かるかしれないと、母乳の出の悪いのをどれほど情なく思ったかしれません。ところが、母乳の出が悪いのには、それなりの道理があったのです。

十分な栄養を摂らなくては、十分な母乳は出ないと考えるのが現代の常識です。病院や医者は、妊婦にはもとより、ほとんどの病人に対しても、十分栄養を摂らなくてはいけないと指導し、助言しています。そして、さらに何らかの病状を訴えようものなら、必ず何らかの化学薬品や栄養剤を与えます。その結果が、母乳の出を悪くするのでした。

食生活の間違いに気づいてのち、質素で簡素な玄米食になって、妻の母乳の出は正常になりました。おかしなことです。しかし、おかしく不思議に思うのは、私達の常識の方が狂って間違っていたからにすぎません。玄米食を世に広めた桜沢如一氏は、「無知ほど大きな罪はない」といっています。真理、宇宙の秩序に無知なことほど大きな罪はないという意味ですが、私達は、まったく自然の法則や宇宙の秩序からはずれた近代的生活を、それが正しく唯一のものと信奉していたのです。

「栄養過剰が母乳を止める」という説も、泉谷希光教授（当時共立女子大学栄養食品研究所）によって発表されています。「高タンパク、高脂肪の〝過栄養〟が、母乳分泌機能を低下させる。あるいは分泌不能にする」と。私たちはその証人といえそうです。

赤ちゃんに与えてはならないような母乳しかつくれない母親には、必然的に母乳の分泌が止められてしまうという、これは自然の摂理なのでした。母体の本能です。ですから自然の法則・宇宙の秩序に添う生活をしていさえいれば、胎児も赤ちゃんも難なく正常に発育するものであり、母乳も正常に出るものなのです。

それでは、自然の法則・宇宙の法則に添った生活とは、いったいどんな生活なのでしょう。私はこの生活に関して、私自身のささやかな体験で学んだことを、述べてみます。太陽エネルギー時代のひとつの生活技術として、役立てられれば嬉しいことです。

疑問からの出発

私は玄米ミルクと玄米食ですくすくと育ちはじめたわが娘を見つめながら、幾度も幾度も、玄米とはいったい何なのだろうかと考えさせられました。

「あなたのお子さんの生命は、もう助かる見込みはありません。どうかあきらめてください」といわんばかりに、私達の信頼していた小児科医は宣告したのです。それがどうでしょう。いままでの高価な薬や注射はいっさいやめ、玄米食療法にすべてをまかせて、これまでの生活法を転換したら、娘は甦りはじめたのです。転換のタイミングのよかったのは天の恵みというしかありません。このタイミングがずれていたなら、結果はまた異なっていたかもしれません。

娘を死の淵にまで追いやったのは親である私と妻の責任です。特に私は、医薬と医者に頼りきっていましたので、責任のほとんどは私にあったのです。それには、私が病弱だった時代にさかのぼって、私自身の体調がどんな状態であったか、それが玄米食によってどのように変化することになるかを書かねばなりません。

玄米とはいったい何なのでしょう?

幼少時代、私は病弱ではありましたが、何とか普通の生活を送る程度には過ごせていました。ただ、この生活の陰で、食べものに対する異常なほどの貪欲な芽が芽生えていました。人一倍いやしん坊で、絶えず盗み食いをして、絶えず黄色い鼻汁を唾らし、口の端を切らして、痛い思いをしながらも、それでも食べずにはいられなかったのでした。キャラメルなどは一箱ペロリ、甘納豆なども一袋ペロリ、トロリとして甘い缶詰の練乳なども缶ごとペロペロやりながら空にし、おせんべい、ビスケットなども二、三枚などという量では決して満足しないありさまでした。母はしつけに厳しいほうでしたから、お茶菓子類を子供達に少しずつ分けるのですが、母がしまいこんだのを捜し出しては、私は残り全部を盗み食いしたものです。

少年時代のこの貪欲の結果が、いろいろな変調となって青春から青年時代に現われてきます。まず第一番が胃腸病です。胃腸の具合が悪くなると消化剤や重曹の服用です。腹痛には家庭常備薬となっていた富山の苦い赤い丸薬です。薬を飲んでは、いやしん坊の繰り返しです。胃腸の具合が悪くなったら、少食を守るとか、絶食するとかすれば、そのほうが薬などよりどれほど身体のためによいかわからないのに、その頃は、そのような身体の知恵、生活の知恵はありませんでした。かりにそうした知恵があったとしても、異常な貪欲さには勝てなかったかもしれません。

胃腸は健康の根本です。胃腸が弱ってくると順次内臓が侵されてきます。食べものの貪欲がおさまらないのですから、胃腸の具合の悪さが高じて胃下垂です。鼻からは黄緑色の鼻汁が絶えず出て、前頭部が鉛をはめこんだような重苦しさとなってきます。蓄膿症です。蓄膿症とわかって、どんなに耳鼻咽喉科へ通ったかしれません。

さて、そうこうしているうちに扁桃腺炎。ちょっとしたことで、すぐに扁桃腺が赤く大きく腫れあがります。蓄膿症は手術しても治るかどうかはっきりしないということで手術しませんでしたが、扁桃腺は切除すれば二度とかからないという医者の説明で、高校一年の春に切除しました。いまになって後悔してもはじまりません。当時は切りとってしまうことが最良と思ったのですから仕方ありません。それからというものは、絶えず気管支炎です。

風邪は万病のもといいますが、風邪ひきのおおもとは胃腸の衰弱、胃腸の不調にあります。しかしその頃は、胃腸の衰弱が万病のもととは知りませんから、風邪にかかれば、風邪の症状だけを治そうと必死になるのでした。

ちょっと疲れたと思うと、もう気管支炎、ちょっと冷たい風が吹いたと思うと、すぐに気管支炎です。のどの奥がまっ赤にはれて、ひりひりと痛くなって、高熱が出てきます。こうして私の風邪ひきは、青年時代ずうっと続くのです。

風邪気味だなと思うと、もう起きていられません。体力が落ちているので風邪の菌に侵されるのだと思って、体力になると思う栄養をあわてて摂り続けます。肉、卵、牛乳、乳製品、果物等々、そして、それにも増して薬や栄養剤です。

その当時、常時服用した薬剤を思い出すだけでも何十種類あるかしれません。パンビタン、チオクタン、マスチゲン、アリナミン、ポポンS、ビタヘルス、ダブルヘルス、ユベロン、アスパラ、グロンサン、チョコラ、ハイシー、グリチロン等々。それに胃腸のためにと、胃散、タカジアスターゼ、わかもと、エビオス、ワカ末等々。このほか病院でくれるその時どきの薬、まだほかにも沢山ありますが思い出しきれません。こうして書き出してみると、それはまるで製薬会社の試験台だったような感じさえします。製薬会社の新製品の広告を見ると、それがもっとも効能のすすんだ新しい薬のように思えて、すぐに飛びついてしまうのでした。常時何種類かの薬を連用し続けて、よくもまあスモン病のような難病にかからないで済んだものです。しかし、難病奇病にはかからなかったものの、それに準ずるような体調になったことは確かです。

このように私は、日々の食べもの以上に、栄養剤や薬を愛用し続けました。「過ぎたるは及ばざるがごとし」という格言がありますが、私の薬愛用はまったくこの表現通りだったのです。

極端な薬害や副作用が出なかったのがせめてもの慰めで、薬のために払った費用は莫大なものだったのです。しかもこれらの行為を、私は健康になりたいばかりに、丈夫でいたいばかりに続けていたのです。

ところが、すこしも期待するような丈夫な身体にはならないのでした。

季節の変わり目には、かならずダウンです。気候が変わる、冷たい風が吹いた、炎天下に少しばかり長居した、ちょっと無理な激しい運動をした、夜業をした、心配ごとがあった、というような生活上の変化があると、背中と腰部に鉛の板を背負わされたように重苦しさが高じてきて、のどが痛み出して、もう起きていられなくなってしまいます。蒲団を二枚敷き、掛蒲団を何枚もかけて、出せるだけの汗を出してしまわないと起きられないのです。ですから、いったん寝こむと、一週間から一〇日間ほど勤めを休むことになり、これが年中行事ですから、家族も友人も会社も、私が寝こんだとなると、あきれて、あきらめて、日の経つのを待つしかないわけです。家族や周囲の人や、勤め先の会社や得意先に、どんなにか迷惑をかけていたかしれません。しかしその当時は、起きていて耐えきれないのですから、なんともしようがありません。蒲団にしみとおるほどの大汗を幾度もとって、一週間ほど経つと、ようやくすっきりした気分と体調になってきます。これで済んだのかというと、そうではないのです。汗をとって風邪気味が抜けたというだけでは、私の風邪ひきの回復の仕上げではないのです。風邪気味がなくなる頃になると、鼻吼や鼻、口、唇の周囲に、ムズムズと、あの何とも表現のしようのない不快な湿疹、薄黄色っぽい透明の液体をもった吹出物が、まるで花咲くように吹き出してきます。これが吹き出さないと、身体も気分もスッキリしないのです。これらの吹出物や口内炎が赤くはれあがって、やがて吹出物の口は開き、しばらくしてふさがるわけですが、それらの一連のおできの祭典が完了するのには、吹き出てからさらに一〇日から二週間ほどかかってしまいます。顔にいくつものかさぶたをもって、他人と会わねばならないのはなかなか不快なことでした。

「また吹出物かね」とか、「また出たね」と、周囲の人たちは私の年中行事をあきれて、たいして気にもしなくなったほどです。

しかし私自身は、毎度のことであればあるほど、なぜ自分はこうも弱いのだろうと考え続けてしまいます。考え続けても、病気になる生活と病気にならない生活の違いを知らないのですから、なんら解決の糸口をつかめません。そして、できるだけ栄養を摂ること、足りない分は栄養剤を用いること、適度な運動をすることという世間の常識に従順に、せっせとその対策に励むわけです。しかし吹出物のかさぶたがとりきれないうちに、再びダウンということも幾度あったかしれません。ダウンするたびに、私とかかりつけの医者との問答が繰り返されるのでした。

「先生、先生のいうとおりに栄養を十分にとって、機会あるごとに適度な運動をして、なるべく規則正しい生活をしているのに、どうしてこうちょいちょい寝こまなくてはいられなくなってしまうんですか。どうしたら、普通の人のように、丈夫になれるんですか」

私はこれまでに幾度もたずねたことを、腕に注射してもらいながら聞くのです。

「……さあねえ。弱い体質なんですな。生まれつき弱い体質なのかもしれませんな」

主治医も馴れたものです。私の質問を、たいして気にもとめない様子で、毎度ながらの返答です。

「弱い体質なら、これを強くするにはどうしたらいいんです」

「それにはいつもいってるように、まんべんなく十分な栄養を摂って、適度な運動をして、十分な睡眠をとって、とにかく身体を鍛えることです。それしかありません」

「先生にそういわれて、できるかぎりそう努力しているんですけど、相も変わらずで、どうしてなんでしょう」

「そうねぇ、そう簡単にはいきませんよ。根気よく、時間をかけて鍛えることです」

脆弱な体質はともかくとして、私はちょっとのことですぐにできる口内炎や、風邪の治りぎわに吹き出るあの不快な湿疹だけでもせめてかからないで済ます方法はないものかと、このことも幾度も質問するのです。

「先生、このじゅくじゅくする吹出物はいったい何なんですか。どうしてできるんですか」

「そういう吹出物のできる人が、よくありますよ。やはり体質のせいです。アレルギー気味の体質の人に、よく出るものです」

先生の答えはいつも同じです。

私は先生に質問をしながら、いつも不思議でたまりません。私は自分の病気と湿疹の現象を眼の前に持ち出して、わからないところを質問しているのです。吹出物が何で、どうしてできるのかという一事だけに関してでも、これまで幾度も質問しています。最初の質問の時にはわからないにしても、医者自身がこの吹出物のことを明確にわかっていないのなら、私の吹出物の汁でもなんでも採取して、このわけのわからないムズムズする液を分析するなり、研究して解明しないのは医者として怠慢ではないか、研究をして解明できれば、医者も患者も大いに助かるのではないか、いつもそう思ったものです。これはいつも変わらぬ大きな疑問のひとつでした。しかし私の医者は、いっこうにそれを解明する気はなく、いつも同じような返答です。

「その湿疹はウイルス性のものだから、ムズムズするんです。アレルギー性のもありますがね」

医者のそのような返答を聞くと、私はウイルス性のものなら、何というウイルスで、そのウイルスを殺菌する方法があるのではないか。アレルギー性であるなら、それを何とかする方法があるのではないか。これほど医学が進歩しているのに、吹出物ひとつ満足に解明できず治療できないなんて——と、いつも疑問でした。

私のかかりつけの医者が、私の病気と、私の健康についてどこまで真剣に取り組んでくれているのかわからないままで、私は幾度も医者や病院を変えて診察を受けてみました。しかし、どの医者も、これというはっきりしたことをいってくれません。患者の神経質な疑問にひとつひとつかかわっていられないのか、それとも、病気の原因については明確な解答を持っていないのか、私はどの医者に対しても疑問と不審の念を持ち続けたものです。それでありながらも、病気と健康に関してはお医者さまが最高の教師と思っていたのです。

その後、医者を観察していますと、医者でも風邪をひくし、吹出物をこしらえるし、糖尿病にかかって苦しんでいる人もいるし、脳溢血でポックリ死んだりする医者もいる。ガン研究所の歴代の所長や、大病院の有名な大先生や院長が、ガンや脳溢血で死去していく新聞記事などは、なにより不思議です。

そんなわけで、医者に対する絶えざる不審の念が、自分で何とかしていかなくてはいけない気持ちとなって、その当時は薬を漁る方向へと進んで行ったのです。

いまになって考えてみると、医者が病人を治療するということは、素人が想像し考えてるよりもはるかにむずかしいものであることが、よくわかります。

なぜかといいますと、医者は患者の生活を知りません。病人のおよその体質と、病気の症状は診察によってだいたいわかりますが、それ以上の深い詳しい患者そのものについては明確に知っているわけではありません。医者と患者とが長年生活をともにするのであれば、医者はもっと的確で確実な治療なり指導ができるでしょう。しかしすべての病人や患者と、日々の生活をともにするなどということはとても不可能なことです。それにもかかわらず、眼の前の現象となっている病気を治そうというのですから、それはむずかしい仕事です。

まして私のように、医者の治療だけではどうも納得がいかないで、ほかに独自にあの薬この薬と絶えず目新しい売薬を漁り続ける患者に対して、医者は見えない患者の生活部分から生じてくる病因については、なかなかわからないのも無理ないわけです。病人の生活全般や、患者のこれまでの生活や血統や、身体の育ちといったことがはっきり理解できない限り、的確な治療法は決められるものではないでしょう。またかりに、これらのことがわかったとしても、病気の症状なり現象なりだけを処置する現代医学の医療では、やはり根本的な治療というのは期待しても無理なことです。根本的な治療を期待すること自体が現代では欲の深いことなのです。

そんなわけで、私は幾度も同じような病気を繰り返しては、家族や周囲の人達、会社の人達に迷惑のかけっぱなしです。あいつは弱いのだからしかたない、という評価が私に対する刻印となったのはいうまでもありません。

他人の評価はともかくとして、私は自分自身が不快でなりません。ちょいちょい風邪にかかるばかりでなく、食べたものがいつまでももたれて、胸やけがしたり、横腹が痛んだり、胃の裏あたりがいつも重苦しい感じがしていたりして、夕方になると全身がだるくなってグッタリです。胃はいつもポチャンポチャンと水の溜まっている音がします。

こんな状態で絶えず何種類かの内服薬を常用し続けているうちに、腹部はコチコチにかたくなって、医者は腹診しながらよく首をかしげたものです。そして当然のなりゆきですが、腎臓は悪くなる、肝臓病にはなる、神経衰弱にはなるで、次から次へとまるで病気の倉庫です。

あっちが悪い、こっちが悪いの毎日ですから、あっちのためにはこの薬、こっちのためにはこの薬と、自分では病気を治したい一心で服用する薬が、実はあれこれと服用し続けるがためにますます内臓の諸器官や諸機能を弱め、低下させていることに気づかなかったわけです。

薬についてはこのようなありさまでしたが、私が栄養について払った努力は、例えば次のようなことがあります。

私は家の事情で、高校を卒業すると建築関係の会社に就職しました。就職してすぐに、地方の支店に配属され、社宅での自炊生活となりました。その頃すでに身体の不調には悩まされていましたから、薬や栄養剤と同様に、医者の忠告どおり栄養にはずいぶんと気も遣い、生活費も使ったものです。十分な栄養を摂らなくてはいけないということが念頭を離れません。自炊生活では不足すると思われる栄養を、昼食の外食で補わなくてはいけないと思いこんでいました。

例えば、分厚いトンカツにトン汁、あるいは卵を二つも乗せた大きなハンバーグにトン汁ライスなどを、幾日も続けます。あるいはまた趣を変えて、新鮮なさまざまなネタのにぎり寿司ならさまざまな栄養が摂れるだろうと想像して、昼食は寿司ときめこんで、幾日も寿司を食べ続けたこともあります。あるいはまた、夕方若い者だけ寄り集まって一杯やろうということになると、そんな時も栄養崇拝の観念から、モツ焼などは栄養そのもののように思え、レバーだ、タンだ、アブラだとか、モツ煮込みだとか、そうしたものをよく食べに行ったものです。

このように栄養については絶えず気をくばりつつ、自炊のほうもかなり注意してやっていました。給料は外食と栄養剤と、時々買う本とでほとんど消えてしまいました。こんなにしていて、体調はよくなったかというと逆で、ますます弱くなって、定期的にちょいちょい寝こむことが多くなったのです。

「なぜ風邪の治りぎわに生じるあのムズムズする不快な吹出物を、未然に予防できないのだろうか」

「なぜ医者のいう通り努力しているのに、丈夫になれないのだろうか」

この二つの疑問は、私の青春時代、青年時代を通しての大きな疑問となったのです。このほかにも健康について、さまざまな疑問は沢山あります。しかし、いつも念頭を離れない疑問としてこの二つがあります。

そしてこれが、玄米食によっていとも簡単に解消され、その理屈がいとも簡単に解けたのですから驚くではありませんか。

玄米食一週間目

娘の病気ではじまったわが家の玄米食ですが、わが家全員に玄米食生活が定着するのにはしばらく時間がかかります。最初のうちは、娘と私の二人三脚ではじまったというべきでしょう。私は娘がようやくのことで元気を甦らせてくるのを見つめながら、娘の身体にこれほどの効果を与えるものなら、これはきっと父親の自分にもよいに違いないと思ったのです。これが私を玄米食に踏みきらせたそもそものきっかけでした。

赤ん坊の娘は、薬や注射や現代流の栄養食とはもはや無関係になって、玄米ミルクか玄米がゆに少量の野菜スープ程度の食べもので、スクスクと育ちはじめています。そこで私も、玄米食をはじめると同時に、いままで使用し続けてきたいっさいの保健薬、医薬品類と、現代流の栄養学の観念を放棄することを決心しました。絶えず身のまわりに置いていたあらゆる薬物類をみなひとまとめに捨て去ってしまったのです。薬に未練を残さないために。しかしその反面、薬を手離す不安があったのは事実です。

玄米食をはじめての最初の問題は、何といっても玄米をおいしく炊けるかどうかということでした。その前に、玄米をどこから手に入れたらよいかということもありましたが、わが家では近所の米屋さんから求めました。

もっともその頃は、米屋さんでも玄米だけというのは扱っていなかったので、なんで私の家で玄米を必要とするのか不審がられたものです。それに対して、私達はまだ玄米食のよさを十分に説明できず、周囲から好奇の目で見られているような気がして、大っぴらに玄米食の話もできず恥ずかしい気持ちがしたものです。しかし最近は、世間一般に玄米食への関心も高まってきて、米屋さんも玄米食をよく認識しているところが多くなってきました。ふだん取りつけの米屋さんに注文すれば簡単に手に入れることができるようになってきています。

玄米をおいしく炊くために、わが家では圧力釜を使用しています。白米なら自動炊飯器でいとも簡単においしく炊けます。しかし玄米となるとそういう具合にはいきません。自動炊飯器でなら、水加減さえ間違えなければ、あとはすべて炊飯器が調節して炊き上がるようになっていますが、圧力釜や圧力鍋では、まだ自動というところまでできていません。それゆえ、玄米食の第一歩は、玄米をおいしく炊く苦心からはじまりました。

玄米は白米よりも高圧によって軟らかくするわけですから水加減、火加減、時間などのコツを炊く人が修得する必要があります。電気式にせよガス式にせよ自動炊飯器に馴れきってしまっている人は、圧力釜や圧力鍋が沸騰して蒸気が勢いよく圧力調整弁から吹き出してくる様子にちょっと近より難く恐くなります。圧力釜に馴れるまでは絶えずビクビクさせられたものです。しかもそれで上手に炊けるかというとなかなか思うようにいきません。軟らかすぎたり硬すぎたりまっ黒くこがしてしまったりして、上手に炊けるようになるのに真剣に取り組んで一週間ぐらいはかかりました。白米を炊くのと同じような自動炊飯器が開発されて実用化されれば、玄米食を主食にするのに大変ありがたいのですが、まだそこまでには至っていないようです。しかし近い将来、きっと玄米食に便利な自動式の炊飯器が出現することでしょう（現在、電気圧力炊飯器はすでに実用化）。ただ、すべてが便利な自動方式が人間のためになるのかどうか。

わが家も白米食だった頃は自動炊飯器でしたから、炊飯という仕事は自動炊飯器がやってくれるものというのが常識になっていました。炊飯についての知識は、米と水を量ってスイッチを入れる、というだけのことでした。炊飯についての知識と仕事は、本当にこの程度のものでよいのかどうか、大いに疑問となるところです。

これが玄米食生活になってまったく違ってきました。自動炊飯器でなら自動タイマーで朝寝坊していても、御飯は炊けます。ところが圧力釜ではそうはいきません。玄米の質によって水加減も違ってきます。火加減もあります。圧力をかけるタイミング、圧力をはずして蒸気を抜くタイミングもあります。蒸し加減もあります。このようにお米を炊くためのひとつひとつ大切な作業を、どれも注意深く熱心に行わなくてはならなくなりました。白米にもおいしい米とまずい米はありますが、玄米ではその相違がさらに顕著にわかります。そのため米屋さんで玄米を買う時に、手にとって品質のよし悪しを観察する習慣もついてきました。そして実際に、米の姿や形やツヤなどによってお米を見分けられるようになったのです。この米なら水はやや多めにした方がよいとか、やや少ない方がよいという判断もつけられるようになります。蒸気の沸騰と同時に玄米のかぐわしいふくよかな香りが発散しはじめると、その香りによってお米のおいしさや炊きあがり状態も推察できるようになってきます。農薬を使用したお米は農薬の匂いがします。強制乾燥した米と、自然乾燥による米とでは、これまた香りも味も違います。火加減に関してもさまざまなことを学びます。白米を自動炊飯器で炊いていたのでは決して体験することのできなかったことを、玄米食をすることによって私達はいろいろと学びはじめたわけです。玄米を上手においしく炊くには、ものぐさや無精をしてはいられないのです。生活学習、生涯生活学習を日々行わせられるわけです。

私には御飯は芸術作品だと思えてなりません。玄米御飯が非常においしく炊ける時は必ず熱心に心をこめて炊いた時で、おいしく炊けなかった時は必ず他のことに気を奪われていたり体調がすぐれなかったりする時だと妻はいいます。たしかに、おいしい玄米御飯を炊くには、心をこめた炊飯が条件のようです。私達の玄米食の先生である桜沢如一氏は「御飯がおいしく炊けるかどうかは愛情のバロメーターである」と述べています。おいしい御飯を炊こうとする愛情、家族への愛情、食べていただく人達への愛情、さらにはこの御飯への感謝の心、こうしたすべての愛情のバロメーターであるという意味でしょう。

これは便利な自動炊飯器で簡単に炊いてしまう生活法では決して学べないことです。私には玄米と圧力釜や圧力鍋で苦心しながらでも炊くことが、非常に尊い生活法であると思えてきました。一所懸命苦労して炊くからこそ、御飯のおいしさやありがたさが一段と身にしみてきます。ところが、現代は白米飯がいとも簡単に口に入るために、お米を少しもありがたく思わない風潮になって、お米を粗末にするのを何とも感じない時代となってしまいました。

妻は玄米御飯で娘と亭主の病気を治すのだと、熱心に取り組んでくれました。何事もいやいやながら行ったのでは効果もありがたさもありません。まして炊事においては心をこめて明るい喜びの気持ちで料理するのでないと、せっかくの料理がまずくなってしまいます。やるからには何事も熱心に心をこめて喜んでやるのが得とわかってきました。

さて私は桜沢如一氏の『新食養療法』(日本CI協会)を手にして、そこに示されている玄米食の基本原則のひとつから出発しました。それは次のとおりです。

新しい食生活の第一期食（一日分）

A　炒り玄米（炒りたての玄米に、とかした濃い塩水一〇％位をふりかけたもの）

タクアン（又は菜漬）（人工染料、甘味料にて着色、加味せざるもの）一〇〜二〇g

B　ソバ粉（水又は湯にてソバガキとし、塩味とし、生ネギ又は大根オロシ五g位そえる）

C　ソバパン（ソバ粉を六、ウドン粉を二、フスマ又はヌカを二のワリにてこね、ネギ、セリ、ミツバ、ゴボー、レンコン等を一、二割加えて、焼いたもの）

D　玄米（水を少くし少々塩を入れて炊く）

みそ汁（ミソは古式、田舎ミソ、米コージを用いないもの。実はネギ、セリ、ニラ、季節の野草少々油いためして入れる）一杯。

E　玄米（Dの通り）

野菜（何でもよし、おせち風に、にしめ、塩味にする。油少々おとせばさらによい）量は主食の三分の一又は五分の一。

右のような簡素な食事ですがA・B・C・D・Eどれでも毎日続けてもよろしい。ただし、主食は一口をかならず一〇〇回以上かむこと（二〇〇回でも、三〇〇回でも多いほどよろしい）。一口入れるたびにハシとワンをおくこと。かみ終るまでハシをもったらダメ。湯、茶、水すべて最低量にせよ（一日男は四回、女は三回以上小用にゆかぬ程度がよろしい。五〇歳以上は五、六回になってもよい）。

せわしくて、ゆっくりかめない人は、仕事をしながら食べたらいい。

一日三食でも二食でも一食でもよい。ハラがペコペコになれば、何時でも食べてよろしい。量はきめない。

禁物――真生活によって、身心の健康を確立せんとする人は、修業期間中、左のモノをとらない方がよろしい。ムシロA・B・C・D・Eの中どれか一種をきめ、それ以外のもの特に次の如きものは一切とらない方がよい。

動物性一切（牛乳も玉子、バターも入れて）、イモ（サツマ、ジャガ）、果物一切、甘いもの（砂糖、アメ、ミツ、サッカリン、ズルチン入りのもの一切）、酢、酒類一切、市販のミソと醤油（タバコはかまいません）。

以上を一カ月以上六カ月位でもいい。……中略……禁制品は、なるべく健康に十二分の自信がつくまでとらないことです。

私はこの新しい食生活の第一期食のDから出発しました。そして一週間ほど経ちました。必ずしも毎日、厳格に厳密に行えたわけではありません。それなのにどうでしょう。私の両手は手首から先が、黒紫色になってしまったではありませんか。まるで墨汁を注入したような血色です。われながら気味悪く思ったものです。死人の手がこのようであるかどうかよく知りませんが、これはまったく死人の手のようだと思えてなりませんでした。黒紫色になった手は氷のように冷たいのです。足のヒザやフクラハギなどにも十円硬貨ほどの大きさの黒紫斑が現われました。そして、こうした現象は、その後も幾度も繰り返し現われたのです。それでいながら、身体全体の調子は今まで味わったことのない大変よい感じになってきました。何となく爽快です。身体が温かいのです。

私はさっそく玄米食の講習会に出席しました。そして玄米食をはじめて身体に現われてきた変化について質問しました。それらは玄米食による初期の反応の一種だということがわかりました。このほかにも反応は沢山あります。私の場合は何といっても吹出物です。鼻と口の周辺に、それは幾度も幾度も、吹出物が出たものです。反応は各人各様で、玄米食をはじめて一、二週間は、さまざまな反応による不安に脅かされます。これまで行ってきた食生活とまったく異なった食生活をはじめたのですから、それなりの変化や反応の出るのは当然です。吐いたり下痢したり便秘になったり、身体が非常にだるくなったり貧血症になったり、私のように血色が変わったり吹出物や湿疹が出たり、フケ、タン、目ヤニ、鼻汁が多くなったり、病気によっては熱や痛みやセキなどが新たに出たりします。しかしそうした変化や反応にもかかわらず、身体全体の感覚は何となく爽快です。それは、身体が正常な方向に復調しかけたことの反応だからといえるようです。

新しく玄米食をはじめる人にはEをおすすめします。この本が書かれた当時と今とでは、食生活の変化はあまりに激しく、A、B、Cの方法を受け入れられる体の人はほとんどないからです。ヤワ（軟弱）な内臓になってしまっているため、これではかえって身体をこわしかねません。EからAへとすすめるのが無難です。

玄米食三カ月目

玄米食も三カ月目ほどになると、さまざまなことがわかってきます。厳格に忠実にやればやるほど、より多くのことが明確に正しくわかるわけですが、私は私なりに玄米食の基本食法の

Dを中心に適当に自己流にした面も多いので、参考書のように厳格ではありませんでした。なぜなら、その頃はまだ玄米食についてわからないことばかりで、玄米食がいくらよいと思えても、従来の生活の常識が根強く、まだまだ玄米食についての不安があったからです。それでも三カ月目ぐらいになると、沢山のことを学べるようになりました。

まず第一に不思議に感じたことは、疲労の程度が非常に違ってきたこと。おおげさな表現と思われるかもしれませんが、疲れをほとんど感じなくなったのです。三カ月間という期間は、これまでの私でしたら、この間に二度や三度は必ず口内炎か咽喉炎、気管支炎などでダウンして寝ついているはずなのです。それがダウンもせず、寝こみもせずに、立派に仕事をしていられたのです。不快な思いをせず、寝こみもせず、なんとか人さまと同じように仕事をし通せたということは、自分にとってはこれまでにない実に嬉しいありがたいことでした。栄養だ、注射だ、栄養剤だ、保険証だ、医者だと絶えず縁の切れなかったのが、たった三カ月間ほどの玄米食の実行で、それらの世話にならずに過ごせたというのは私にとっては大変化です。大事件、大革命といってよいかもしれません。それも、玄米食をはじめた手前、無理を耐え忍んで我慢し通したというのではありません。知らぬ間に、そのような調子になっているのです。そして何よりも不思議でありがたいのは、身心の爽快さでした。だるくてだるくていつも身体の不調さが念頭を去らなかったのが、身体が軽々しく感じられて、身のこなしが軽くできるようになって、朝の目ざめなどもスッキリしてきました。

私は嬉しくてなりません。ますます真剣にやらなくてはいけないと思えてきました。その頃はまだ、玄米食の入口に一歩踏みこんだだけの状態です。詳しいことは何も知りません。私は、少しでも詳しいことを知りたくなって、桜沢如一氏の著書やその関連の参考書などを、次々に読みはじめました。

それにしても私は、幸運でした。玄米食法にもいくつかの流派や流儀のあるということをわかるようになったのは玄米食をはじめてかなり経ってからのことですが、その中から桜沢式に縁を結べたのは幸運の一言に尽きます。世の中には沢山の健康法や民間療法があります。玄米食は、健康法とか民間療法とかいうものとは全く違って日本人の生活法の基本とも根源ともいうべき生活法と思いますが、私がストレートに桜沢式の玄米食に導かれたのは非常に幸運だったと感謝せずにおられません。桜沢式は娘と私の体質にピッタリ適していたからです。

私は子供の頃、砂糖菓子類や甘い飲みもの、親ゆずりの芋や豆類、青年になって以降の化学薬品類やアルコール類や果物など、身体を冷やす働きの強い飲食物ばかり偏食しすぎていました。ですから体質が腺病質で冷え性となるのは当然のことで、冬になると手足や耳に必ずしもやけができて痛い思いをし、夏でも掛蒲団をきちんとかけて寝なくてはなかなか眠れず、冬は足に幾枚も蒲団を重ねなくては身体が温まらないという、だらしないありさまでした。この体質の私が、身体を温めるのにより効果の強い桜沢式の食養法にめぐり会えたのですから実に幸運でした。

私はいま、桜沢式は身体を温めるのに効果の強い流儀の玄米食法である、と述べました。といって、これ以外の体質の人にはあまり適さない食法と受けとられては困ります。桜沢式は食養法や健康法や日常の生活を通して、私たちの健康状態が病的に一方に偏ってはならないために、万人に適用される理論と原理を持っています。桜沢如一氏はそれを〝無双原理〟と命名し、その理論を「宇宙の秩序」(PU)として説明しています。玄米食を実行しながらこの無双原理を勉強しているうちに、私は「誰でも自分の体質に適応する玄米食の知恵と技術を体得し、実践できる」ということを学べるようになりました。この理論と原理を学ぶための桜沢如一氏の沢山の著書があり、そのための講習会、研究会、健康学園などが定期的に開かれています。

私が玄米食をはじめた頃は、現在ほど整った各種の参考書は、まだ発行されていませんでした。それに何といっても、その頃はまだ西洋式栄養学が全盛でしたから、玄米食法などというのはごく一部の人達の間でひそかに行われていたようなありさまで、そのための参考書などの需要はほとんどなかったといってもよいでしょう。私はちょいちょい移転してしまう日本CI協会（桜沢氏の著書の発行元）を尋ね当てては、欲しい参考書を求めたものです。現在はもうその必要はありません。誰でも日本CI協会へ入会して、読みたい参考書はすぐに求められますし、各種の勉強方法がありますから、どんどん学ぶことができます。

私は桜沢氏の著書を次々に読みましたが、わからないことばかりです。特に無双原理という陰陽の実用弁証法は、一見やさしそうでも、どうにかこうにか理解し応用できるようになったのはかなり経ってからでした。参考書を読むと同時に、できる限り講習会などにも出席しました。夏冬に行われる健康学園にも参加しました。諸先輩や先生の元へもよく足を運びました。

私にとってははじめての、冬の健康学園が万座温泉で開催された時のことです。私は、玄米食をはじめて体調がよくなりはじめた頃でしたので、休暇をとって喜び勇んで参加しました。健康学園というのはそれは楽しいものです。食事は玄米食と質素な少しばかりの副食にすぎませんが、昼間は思う存分スキーをし、朝夕と夜は勉強会や体験談の発表や音楽や余興などで過ごします。私たちが泊った旅館は主人が玄米食の実践者で、玄米食養法に則った食事をすることができたわけですが、最後の夕食に思いがけないご馳走が出ました。その土地の採りたての新鮮な卵と牛乳が食事に添えられたのです。私は玄米食をはじめてまだ日の浅い修業期間中です。『新食養療法』には修業期間中の者はいっさいの動物性食品を禁じられています。さあどうしようかと思って迷っているところへ、会のリーダー格の一人であるU博士の「採りたての新鮮な自然食は身体に害にはならないし、また何でも自由に食べられるようでなかったら自由人になれない」という音頭があって、私もそれはその通りと解釈して食べてみました。その場は誰も何ともありません。そして翌日は健康学園も終了して、それぞれ帰宅しました。

帰宅して二日目です。ムズムズムズと口の周囲から鼻のワキに、それはたちまちのうちに、あのいつもの持病の不快な吹出物がいっせいに咲き出してきたのです。しかもそれが顔の下半分を覆うほどに大きく広く吹き出したのです。その痛さったらありません。顔に炭火をのせているようです。食養療法にあるそれなりの手当てを行ってみたものの、すぐには効果は現われません。数日間というもの私はウーンウーンと悲痛なうめき声を上げて寝てもいられないありさまでした。吹出物が固まってかさぶたとなり、それらがきれいに剥がれるまでに一カ月あまりかかりました。

私はこの体験で、玄米食をはじめて数カ月あまりの間、一度も病気にならず寝こまずに済ませていたのも見せかけの健康感であったことをしみじみと悟りました。摂ってはいけないと禁じられている動物性食品を飲食したからこのようにひどい吹出物となったと単純に思いたくはありませんが、冬の万座温泉でスキーをして身体を鍛え、強い温泉に入って新陳代謝が旺盛になり体内の毒素が出たがっていたところへ、必要以上の強い飲食物が吹出物の引き金となったのでした。このことによって私は、体内にはまだまだ沢山の排除排出しなければならない毒素が想像以上に滞溜していることを知ったのです。

私は反応が出るたびに、シュンと意気消沈して、オレは何と弱い人間なのだろう、オレの身体は何とダラシナイ身体なんだろうと情なくなったものです。それでも意地になって玄米食にかじりついていました。時間とともに反応も消え去り、それに比例して元気も出てきました。自覚症状もまた一段と快適となってきました。明るい考え方が戻ってきます。こうなると病気でも反応でも、身体が健康になるための浄化作用なのだから、それらの出現は大いに喜ぶべきである、なんて自分にいい聞かせるありさまです。

しかし私の両親や会社の同僚や知人達は違います。「玄米食なんかしてるから、そんな吹出物ができるんだ。医者に聞いたら、そういう症状はビタミンCの不足によるんだそうだ。栄養失調の症状なんだよ。やめた方がいい。いまの時代に、そんなにひどい吹出物をこしらえてる人はいやしないぜ」と同僚は蔑《さげす》んだ目つきで忠告したものです。母も「玄米食もいいけど、なにもそうムキになってやらないでおくれよ。適当に栄養のあるものを食べておくれ。そうでなくても痩せているのが、また一段と痩せたようで見ていられない。もっといろいろと食べなくてはダメだよ」と哀願です。

母の哀願も無理ありません。玄米食になって私の体重は目に見えて減って、風船がしぼむようにスウーと痩せてしまったのです。運動などで鍛えた筋肉をもつ人はそう簡単に痩せるものではありませんが、水ぶくれのような体質は玄米食をはじめると必ず痩せます。当時私は、身長一六六センチに対して体重は六二キロほどでした。それが三カ月間ほどで、一〇キロほど減って五〇キロから五二キロ程度になってしまったのです。母の悲嘆は絶えません。玄米食なんてわけのわからないことに熱中してして、だんだんと痩せていって、しまいには体力がなくなって、その果てに病気になり、病原菌に抵抗できず、衰弱し、死んでしまうのではないかと、悪い方へ悪い方へと想像するのでした。父は父で、たまに食事時に一緒になると、肉でも魚でも酒でも、体力になるものを食べなくてはダメだぜ、と私を叱りつける口調でいったものです。私は父の口から体力という言葉を幾度聞いたかしれません。

「男はイザという時の体力を持ち合せていなくてはいけない。それなのに、そんなヤセギスでは、風が吹けば吹き飛ばされそうじゃないか」と、キツイ目つきで私を睨みながらいうのです。

私は玄米食をはじめたばかりで、体調が生まれ変わったような爽快さを感じ出してきた頃なので、両親の言葉さえうるさくてなりません。それどころか、私の娘が生命をとり戻して元気に育ちはじめたのは何のおかげか、栄養栄養っていうけど今まであんなに栄養を摂ってきたのにすぐに病気になって寝こんだのはどうしてか、体力体力っていうけど見かけ倒しの体力じゃしょうがないよ、などと父母にくってかかったりしました。

同僚や知人も私の父母と同じです。私がメキメキ痩せるのを見て、どこか悪いのじゃないか、医者に診てもらった方がいいぜとしきりに忠告してきます。玄米食なんて、そんなのやめた方がいい、玄米食で健康になれるくらいなら医学はこんなにも発展しないよ、とみな玄米食を否定してかかってきます。そうなると私は、ますます玄米食のよさを証明したくなります。

ところが玄米食のよさは、そう簡単に証明できません。よさを証明できないばかりか、玄米食による不都合さを証明してしまうことの方が多いのです。例えば、私は会社の営業を担当していましたから、得意先を接待したりされたり、業界の旅行や会合での宴会など、さまざまの交際を避けられません。交際上での飲食は、玄米食では禁じているようなものばかりです。実際、飲食物を見ぬく観察眼がついてくると、金儲けを目的とした飲食物にはどれひとつとして安心して食べられるもののないことがよくわかるのですが、その当時は、まだそれほどの知恵も知識も体験もありません。盲目的に玄米食を実行している段階ですから、アッチにぶつかりコッチにぶつかりで、玄米食による衝突の方が多いのです。客を接待しておいて、「自分は玄米食をしているので一緒に飲み食いできませんから貴方だけでどうぞ勝手にやって下さい」というわけにもいきません。そんなことなら接待しない方がよいくらいです。

また私のためにわざわざ用意されたご馳走の膳を前にして、私は玄米食をしているのでこういうものは食べられません、といつもいつも拒否しきれるものではありません。交際や商売上の成功がどうなってしまってもあとはかまわないというのなら蛮勇を発揮して玄米食宣言もできますが、社会的交際をそう簡単に割りきってしまうわけにもいきません。

実際、玄米食になりたての頃の世間的交際はなかなかむずかしいものでした。玄米食によってせっかく好転しかけてきた体調を、一時的とはいえストップし、場合によってはかなり逆戻りさせるのは困ったことです。幾度も失敗してみて、私なりに到達した交際術は次のようなものでした。もっともこれは消極的な交際対策です。

その第一、どんな場合にも暴飲暴食をしない。その二、空腹で酒を飲まない。その三、動物性食品を食べた時は、その直後の一食か二食を断食する。もしもわがままを聞いてもらえるなら、田舎料理的なものを化学調味料などを用いないで用意してもらうとよいのですが、なかなかこちらの希望通りにはなりません。

積極的な対策。その第一は、何といっても玄米食者であることを、交際するすべての人に一日も早く知ってもらうことでした。アイツはつきあいにくいヤツだとか、偏屈なヤツだ、変人だと評価を下されてしまえばあとはラクです。オレは玄米を食ってるんでね、オレは変わり者なんでね、オレはこういう栄養のありすぎるものは食べないことにしているんでね、といって相手の機嫌をあまり損なうことなく済まされるようになりました。その二、玄米正食に添った料理やご馳走で接待したりされたりする工夫をしました。お互いにゆっくり話し合うと、玄米正食にならないまでも、ホンモノの料理や酒や飲みものを提供してくれるホンモノの料理屋や食べもの屋へなら行こうということになります。

今になってしみじみわかったことですが、玄米食をはじめて三カ月ぐらいは、他のことを犠牲にしても、やはり厳格に基本に忠実にやった方が結局はトクなのでした。私はこの間に幾度かハメをはずしてしまったので、短期間に本格的な健康をとり戻せなかったようです。それにもかかわらず、体調がぐんぐんよくなって、玄米のありがたさはよくわかりました。スカッーとした健康感になると、ついつい安心して卑しい欲望が頭をもちあげてきます。そして禁じられている食べものに手を出し、また体調を崩すということの繰り返しです。健康感は一時的に戻ってきても、病気はそう簡単に根治されるものではないのです。一〇年苦しんだ持病は一〇年の食い改めが必要なのです。ちょっとした潰瘍のひとつでさえ、それが現われるのには五年とか一〇年とかの長い年月の生活の間違いの積み重なりが原因です。胃ガンだ腸ガンだ肝臓ガンだ、すい臓ガンだ肺ガンだ食道ガンだと、どれひとつでも昨日今日にできるのではありません。病院の検査によって発見されて、突然発生したかのような騒ぎとなりますが、それらは実際には何年も何年もかかって止むにやまれず姿を現わしてきたのです。何年もかかってこれらの発生する体質という土壌が形成されて、悪性の土壌に悪種が根づいて、芽が出、華が咲き、実となって腫瘍となったりガンとなったりするのです。ですから、私がしょっちゅう咲かせている吹出物も、そうしたものの一種だったとわかってきました。

桜沢氏は次のように表現しています。「病気は罪悪である。不幸な病人の勲章である」と。私は、吹出物という軽微な勲章を、もう沢山頂戴してしまいました。これ以上は結構です。そう思いながらも、玄米食になってのちも幾度も受賞してしまいました。しかし同じように見える吹出物でも、玄米食になってからは回復のしかたが違います。感覚が何となくさわやかで、それが消えるのと比例して内臓の調子がよくなっているのがわかるのです。体質が改善されてきているのが実感できるのです。玄米は体内浄化力が大変強いということを三カ月目までによく納得できるようになりました。

健康は血液から

葉緑素とナトリウムとカリウムと

玄米食になって、私は驚き、まごつくことばかりでした。見ること聞くこと、やることなすこと学ぶこと、どれもこれも今までの常識の逆ばかりです。第一にマゴツイタことは、あれを食べてはいけない、これも食べてはいけないということでした。正しい理由がわからないで、あれを食べてはいけない、これも食べてはいけないと禁じられるのですからまごつくのは当然です。

身心の健康を確立しようとする人は修業期間中は、肉や魚や卵や牛乳や、各種乳製品、果物に芋類、甘い菓子類に酒や清涼飲料などを飲食してはならないと禁じられています。私はこの禁じられている飲食物こそ栄養食であると考え、摂り続け、おかげで病弱を解決できないでいたので、一切を禁じるのも必要なことかもしれないと思いました。

しかしなぜ、こういう食べものがいけないのかはわかりませんでした。世間や医者はこういうものを大いに摂ることをすすめています。それにどこへ行ってもこういう栄養食ばかりです。これを禁じるとなると、数日の旅行でもすぐに食事に困ってしまいます。

この解決法を指導者に質問してみました。ある指導者は、「それぐらいのことで世間が渡れないなら落伍してしまえ」と大変強硬な解答でした。たしかにそれも一理です。またある人は、「キミは誰のために食事をするのかね。世間のためにか。それとも玄米食会のためにか、それとも自分自身のためにか、そのへんのことをよく考えて自分で対策を出すべきだね」と冷静です。これもその通りです。また別の先輩は、「自分は外出する時には玄米おむすびをいくつか持参する、長期間の旅行には炒り玄米を持つことにしてそれ以外には食養に反しない程度の飲食をするよう心がけている」と説明してくれました。

私はこの三番目の人の方法をまず見習いました。玄米おむすびと炒り玄米と、その両方を適宜持参することもありました。しかしこれで外食対策がすべて解決できるわけではありません。なぜなら、団体で旅行したり食事する時に自分だけ食事を断ったり別にすることなど、そうそう続けられません。そうした場合はなるべく食養法にかなう食事になるよう御飯にみそ汁、当り障りのない漬物や野菜料理、豆類、海藻類は食べることにしています。しかし洋食の場合は困ってしまいます。体調がまだ不安定な時であり、応用の効く知恵も知識も体得されてないのですから、トーストとスープと野菜サラダ程度か、あるいはまったく食べずに、あとでそっと炒り玄米などを食べて過ごしたものです。

そうした頃のことです。陰陽無双原理の勉強会で、「ねぇキミ、人間の血液はいったい何からできると思うか」と、その時のO講師が参加者に質問しました。参加者は二〇名ほどでしたが、誰も答えませんでした。血液が何からできているのかまったく知っていないのですから答えられるわけがありません。しかしこのようなことは、中学校か高校で学んでいなければならないはずです。O講師はしばらくみなの顔を見渡して、誰か答えるかと待っていました。結局誰も答えられなかったのです。O講師はあきれたように「人間や動物の血液は、植物の葉緑素が転じてできたものなのです」、そういって赤血球と葉緑素の分子式を黒板に書いて示しました。葉緑素の緑色となっているマグネシウムと、赤血球の赤色となっている鉄を入れ替えると、あとはほとんど同じ分子形体です。私は「へえー」とビックリすると同時に感銘してしまいました。植物の葉緑素が人間の血液になっているなんて、これまで一度も考えてもみなかったことです。血液について記憶にあることといえば、生物の教科書か何かで学んだ「血液は骨髄で

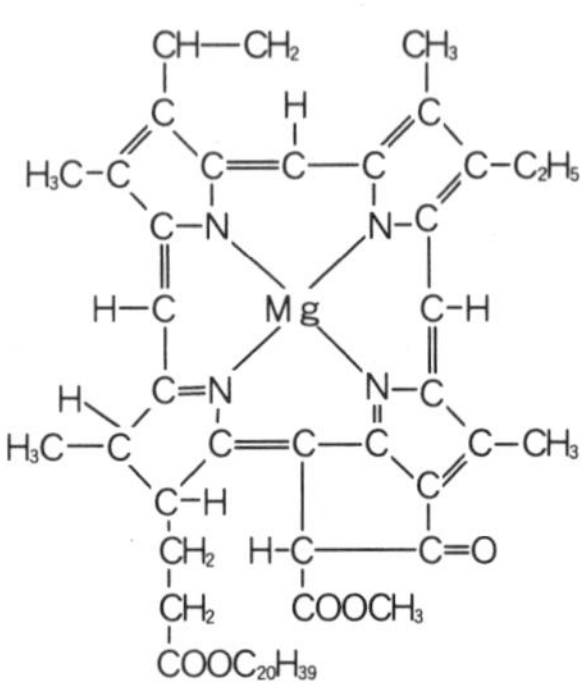

葉緑素

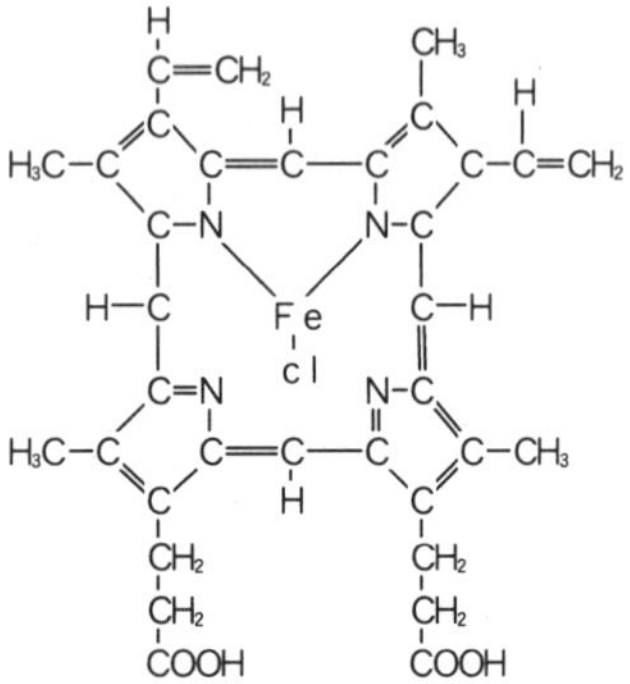

ヘミン

つくられる」という程度のことで、血液の原料が何であるかというようなことは一度も学んだような憶えはありません。また葉緑素の炭酸同化作用は知っていても、それらが転じて血液となるということは聞いたことも学んだこともありませんでした。真偽のほどはわかりませんでしたが、私はタッタこれだけの説明を聞いて、いいしれぬ衝動的な感銘を覚えたのでした。脳天を叩かれた思いでした。学問的にはわからないけれど、これは重大な真理のように思えたのです。思ったのではなく感じさせられたのです。この時の勉強会は、他にもいろいろ有意義な話がありましたが、私は「血液は葉緑素からできる」ということしか頭に入りませんでした。たったこのひとつのヒントで、今まで私が不審に思っていた各種の疑問がスラスラと解けるではありませんか。玄米食をするようになってはじめて抱くようになったいろいろの疑問の多くが、たったこれだけのヒントで解ってきたのです。

私は幼稚な疑問を持ち続けていました。例えば、草食動物は、肉食をしないのになぜ赤い血液やたくましい骨ができるのだろうか。肉食動物はなぜ内臓から先に食べるのだろうか。草食動物の方が肉食動物よりも一般におとなしく長寿なのはなぜだろう。人間にとって肉食と菜食とではどちらの方がよいだろうか。玄米食はなぜ動物性一切を禁じるのだろうか。人間は肉食と菜食とどちらが自然なのだろうか。どちらの方がよいのだろうか。玄米食がなぜ自分には適しているのだろうか。草木の緑を見ると気持ちが穏やかに安らぐのはなぜだろうか。緑の草原や芝生に寝ころびたくなるのはなぜだろうか。人間は肉など動物性の栄養を摂らなくて生きられるのだろうか。葉緑素だけでも生きられるだろうか。等々の疑問を持っていたのです。

私はこれらの疑問の多くを、このヒントによって解くことができると思ったのです。もちろん学術的にではありません。私は学問には素人ですから素人の六感、体裁よくいうならインスピレーションで理解できるように思えたのでした。

葉緑素が血液となるのなら、草食動物は草や葉を食べて、そこに含まれる葉緑素を血液につくり替える機能を持っているはずです。人間にも同じことがいえます。そうなると、植物を食して血液をつくるのと、動物が動物を食して血液をつくるのと、いったいどちらの造血機能がより高度なのかもわかります。肉食というのは己れの造血機能を十分に働かせきらずに血液を得ようという怠け者の生き方のように考えられます。絶えず肉食を続けていると、植物から造血できる機能を退化させてしまって、遂には備わっていた本来の能力を喪失してしまうのではないか、すなわち生理的に退化するのではないか。これに較べて菜食は、人間でも動物でも賦与されている造血機能をフルに活動させなくてはならないから、これこそ生物がつくられた初期の生理機構や機能を目的どおり活用してるわけで、生理的には進化と解釈できるのではないか。人間は持てる生理機能をすべて活用して進化するのがよいのか、機能を怠けさせて活用しきらないでおいた方がよいのか。どちらが人間のために自然でよいのだろうかと、私は考えました。こう考えてくると、自分が栄養だ栄養だと心がけて栄養剤や保健薬や、肉だ魚だ卵だ牛乳、バター、チーズだなどと熱心に努力していたことが、実は生理機能を怠けさせ退化させ、果ては機能麻痺となりかねない自殺行為に通じていたように思えてきました。栄養を摂るほどに、薬物を服用するほどに体調が悪化した道理がわかったのです。玄米食になって日ましに爽快な感覚が戻ってきて体調が好転してきた理由も納得できるではありませんか。

また私は草食動物の食べものについて考えてみました。草を食べて立派に生きているのは、草が血となり肉となり骨となっているからです。葉緑素が血液になるというのは、動物は植物を食して十分に血液をつくれるという意味なのかもしれません。そうでないと植物から葉緑素だけを抽出して、葉緑素だけの丸薬のようなものを服用していても生きられるかという疑問も出てきます。葉緑素の丸薬だけでは動物は生き続けられるとは思えません。このような実験を見たこともも聞いたこともないので明解ではないですが、恐らくそれだけでは無理でしょう。ですから葉緑素から血液はつくられるといっても、それは抽象的な表現なのかもしれません。

しかし植物を食して血液がつくられるということは草食動物が明らかに証明しています。そこで疑問になったのは、植物であれば何でもよいかということでした。どうもそうでもなさそうです。草食動物でも種類によって食べる草が違います。馬でも牛でも、うさぎでも山羊や羊でも、キリンやゾウでも、植物ではあっても食べる草や木はそれぞれ違うようです。この違いは一体どうしてあるのだろうかと観察すると、動物はそれぞれ種類によって食べものが違っている、食べものの違いが種類の違いになってきたのかもしれない、人間に穀物がよく適しているのはそれなりの深い関係なり歴史があって、それなりの生理機能となっているのだろうと考えられるのでした。人間の身体のしくみは植物も動物も食べられるようになっているようです。しかし、植物を食して血液をこしらえるのが本来の機能を生かしていることになると考えられるのでした。

私は娘の病気で玄米を知るまでは恥ずかしいことながら、玄米というものさえ知らなかったのです。戦時中と戦後に、黒い米が配給になりました。その頃私は小学校低学年でしたが、一升ビンに入れて棒で搗いてわざわざ白くしたことを覚えています。お米は白くしなくては食べられないものと思っていたほどです。やがて玄米食に慣れてきて、玄米がおいしくてならなくなりました。玄米が身体によいとはわかっているけれど、どうもまずいので食べられないということをよく聞きます。こういう人は、玄米をまだ本当に味わえていないか、玄米の炊き方や料理法や食べ方などに、まだ熱心さが欠けている場合が多いようです。動物の肉を血や筋肉や骨とするよりも、植物の肉といえる穀物を血や筋肉や骨とする方が、生理機能を正常に働かせ老化や退化を防げるということを理解すれば、玄米の食べ方味わい方の心構えや感じ方も違ってきます。

私は、白米と肉や魚や栄養剤での生活を長いことやってきたので、玄米食になってからもしばらくは、玄米と少量の野菜や海藻類のようなものだけで本当に大丈夫なのか、疑問と不安がつきまとっていました。この不安は、栄養食で怠けさせられて休眠状態になった生理機能が、従来の栄養剤が入ってこなくなってこれは大変だと眠りを醒ますまでの期間は続いたように思います。玄米食に慣れて、私の生理機能が植物から栄養素をつくらなくてはいけないと目醒めてくると、次第に肉や卵や牛乳など高栄養食品は欲しくなくなってきました。玄米という新しい食べもので必要な栄養がまかなえるような身体の態勢ができてくると、今まで食べ続けてきたさまざまな栄養食品は不要になるばかりか、次第に不純なものとなってくるのでした。

次に私がショックを受けたのは、どんな血液がよいかということでした。健康で自然な血液とはどういうものかを知った時の驚きと歓びは、葉緑素が血液となるということを聞いた時と同様の感銘でした。

「正常で健康な血液中の赤血球のナトリウムとカリウムの比は一対五である。食べものでこの比率をもつのは玄米である」

赤血球中のナトリウムとカリウム比と病気の関連性にはじめて着目し研究されたのは、わが国食養界の始祖石塚左玄氏とのことですが、これは結局、なぜ玄米が身体のためによいかということを物語っているのでした。正しく栽培された昔の玄米中のナトリウム・カリウム比は、健康な赤血球と同値の一対五だったのです。赤血球中のナトリウム・カリウム比だけが健康や病気を確定するものではないでしょうが、重要な条件のひとつであることには違いありません。正しくつくられる玄米は生まれながらにこの条件をかなえているので、食べてから赤血球になるまでの過程が他の食物よりもはるかに自然で効率的で有利なのでした。玄米を白米にすることによって、この正常値やミネラルなどの栄養分を除去してしまう。その代用として肉や魚や卵や牛乳や果物などで補うというのは、どんなに上手にやっているつもりでも自然の摂理で組成されている配合にかなうものではないのです。したがって、白米は不合理・不経済の生活を招くことになります。

私は赤血球中のナトリウム・カリウムの正常値の話を聞いて、さっそく食品組成分分析表を求めて、いろいろの食品について調べてみました。確かに食品によってそのナトリウム・カリウム比はみなマチマチです。玄米やソバの比率が一番赤血球比に近いことも知りました。牛肉などの肉類は比較的均整のとれた成分ですが、これは動物性食品なので一応除外です。さらに詳しく学んでゆくと、玄米も近代になるほどこの比率がかけはなれてきて、一対八、一対一六、一対二〇、一対二三〇という具合に変化しているのでした。昔の正しく栽培された米は健康な赤血球と同じナトリウム・カリウム比であったのに、現代になるにつれてこの正常値が崩れてきているのです。それは稲作栽培法と土壌変化が原因しているのです。化学肥料が用いられるようになり、さらに農薬を使用するようになって、お米の組成分が時代とともに大きく変化しているのでした。お米だけの問題ではありません。不自然な農法は、不自然で不健康な作物となっているのです。そういう作物を食べていれば、人体の組成分も不自然で不健康になっていくに違いありません。こうなると次は、本当に健康になりたいなら健康な食べものを食べなくてはいけない、健康な作物を得るのには健康な土づくりをしなくてはいけない、健康な土づくりこそ健康の基本であることが理解できるのでした。

自然農法や有機農法で栽培された作物は、米でも野菜でも果物でも、たしかにおいしさが違います。病気の回復も一段と違うのでした。私は葉緑素から赤血球はつくられるという一言からはじまって、健康な血液について、健康な食べものについて、自己開発の方法についてなどを、玄米食を実践するということだけで学ぶことができるようになりました。

健康の七大条件

激しい運動や労働をしたあとに幾日も筋肉の痛むことがあります。私はスキーや、ふだんやりつけない肉体労働をすると、必ず筋肉や節ぶしが幾日も痛んで、さらに風邪をひきこんでしまったものです。このような状態の身体が、玄米食になって半年一年と経つと、以前よりも激しい運動や労働をしても痛みも疲れも感じなくなってきました。寝こむこともずっと少なくなってきました。私にとって大進歩です。

桜沢氏は「健康の七大条件」を次のように規定しています。

一　絶対に疲れない！

二　御飯がうまい！

三　よく眠る！

四　物忘れをしない！

五　愉快でたまらない！

六　判断も、行動も万事スマート

七　決してウソをつかない

私ははじめてこれを本で読んだ時、こんな健康の条件はあり得るものではないと思ったものでした。生きている人間が絶対に疲れないなんてことがあり得るものではないと思ったからです。運動をしても労働をしても生き身であれば体内に老廃物は発生し、老廃物が疲労や痛みの原因になるのだから、絶対に疲れないなんてことは信じられないことでした。私は半信半疑というよりも、何たるハッタリの健康の条件なのだろうと、これはマヤカシだと受けとめていました。御飯がうまい、よく眠るはわかるとして、物忘れをしないことも不可能なことです。愉快でたまらないなんてことも絶えずそうしていられることではないし、判断も行動も万事スマートなんていってもそうそう絶えずスマートでいられるなんて考えられないし、決してウソをつかないこともそうありたいと思ってても自信のもてないことです。

「健康の七大条件」をこのようにマヤカシものだとみなしていたのが、玄米食をやって日が経ってくるにつれて、マヤカシではなくなってきたのです。絶対に疲れないなんてことはまだ不可能としても、ほとんど疲れないといえるし、疲れたなと思っても寝て起きると疲れは回復してしまいます。ですから絶対に疲れないようにもなれるのだと信用できるようになってきました。その他の条件についても、ひとつひとつを、よく納得できるようになったではありませんか。今ではこの「健康の七大条件」を自分の健康診断書とも健康のパイロットともしているほどです。

私が子供だった頃、私の家は医者や薬の世話になることが非常に多かったものです。父も母も持病があり、私も姉妹もみな胃腸が弱くて、絶えず胃腸病に悩み風邪をひきこむ家庭でした。それだけではありません。私の上には三人の兄がいたのですが、長男、二男、三男とも八歳、四歳、一歳で亡くなっています。私は兄達が亡くなった後に生まれたので彼らを知らないのですが、三人とも疫痢で亡くなったとのことです。当時は、どこの家でも一人や二人を疫痢で失うのは常識だったようです。その兄達が四の倍数の年齢で死んでいるので、私も四の倍数で死ぬのではないかと子供の頃から不安に脅かされたものです。

私の家のように三人もの男の子を疫痢で失くしている家庭がある反面、疫痢なんか平気で丈夫に育っている家庭もあるのはなぜだろうかと私は子供の頃から疑問でした。どんな悪性の伝染病が流行しようと平気で過ごしていられる家庭があるのはどうしてだろう、どこが違うのだろうかと疑問でした。病弱で子供の頃からこんな疑問を持っていたので、知らず識らずのうちに、健康になりたいという関心が強くなったのかもしれません。

玄米食を行うようになってみて、私は自分の育った頃のわが家の食の間違いがよくわかってきました。私達は病弱になるような、病原菌の巣喰いやすい体質になるような、そういう食生活を毎日続けていたのです。栄養という観念にしばられて食の秩序がなかったといえます。自分の好みや都合によって栄養をはかるだけの食事だったといえなくもありません。私達の育った時代はぜいたくのできる食糧事情ではありませんでした。それだけに食の正しい認識を欠くとすぐに偏食になって、思わぬ結果を招来したのです。

例えば私達は、お米の代用にサツマイモやジャガイモをよく食べました。父の好物でした。

サツマイモやジャガイモが体内に入ってどんな作用をしてどんな体質になりやすくするか、そういう認識がありませんでした。また、砂糖やサッカリン、ズルチンといった人工甘味料もかなり用いました。これらが体内に入ってどんな害となるかを知らないどころか、それらを用いて味覚的においしいことを喜んだのでした。

当時と現代とでは社会事情も生活環境も非常に違っているので、食事に対する仕方や考え方も変わってきています。生活法が時勢とともに変わるのは当然なこととして、健康でいたいという、健康な生活をしたいという願いはいつの時代になっても変わらないことです。となると、時代や社会事情がどう変化しようとも、私達はいつでも健康に過ごせる知恵なり方法を体得していた方が賢いことであり、私は自分の子供達との生活は何とか健康で明るい家庭を築き上げたいと決心したのです。私の父母の願いもそこにあると思うのです。私が健康となって、家庭が健康で明るくできて、それではじめて両親へ少しばかりでも恩返しができるわけです。

妻は玄米食によって長女が救われたこともあり、私の寝こむ回数も風邪の回数もずっと少なくなってきているので、玄米食を続けることに異論はありません。しかし家族全員が玄米食をはじめるには思わぬ問題が出てきます。玄米を買ったり、圧力釜（あるいは圧力鍋）や、玄米正食法にもとづく天然醸造の味噌醤油、自然塩、ごま油、海藻類などは玄米食養関係の販売ルートから簡単に入手できるのでよいとして、家族の好みの問題にぶつかったのです。

私達は私の両親と同居していました。食卓は別でも料理は妻がつくるものです。両親は玄米食はいやだと拒否しました。老いの年齢になって玄米食なんて生きる楽しみがなくなってしまう、早死するとしても今まで通り白米で肉や魚や卵や牛乳や果物などを食べていたいと強硬です。父母が本当に健康ならそれもかまいませんがどちらも慢性的な持病があり、私は何とか玄米食になってもらいたくてなりません。無理にでも食べてもらいたいと思って御膳に出すのですが、副食は食べても玄米は手つかずの状態です。両親は、娘と私が健康を回復したことを、玄米食のおかげであるとは解釈していないのです。玄米にそれほどの効果があると思いたがらない上に、玄米はおいしくないという先入観にとらわれきっている感じなのです。どんなによい食べものでも、感謝の気持ちなく、いやでいやでたまらない気持ちで食べるのでは身のためにならないでしょう。

私達は父母へ強いることはやめて、父母へは従来通りの食事を用意することにしました。こうなると妻の食事のための手数は倍加します。そればかりではなく、同じ家の中で好みの異なる食べものが二重三重になるために、その影響がすぐ子供達の生活態度に現われてきました。子供達は目先、舌先でおいしそうなものを好みます。こちらで食事をしたほかに、祖父母のところへ行って別のごちそうを食べたり、また、祖父母のところで食べるために玄米御飯を食べなくなったりで、最初のうちは手こずったものでした。

玄米食は見るからに野暮ったいものです。洋食の栄養食は見栄えのするのもたしかです。子供心にも見栄えのするものに心がひかれることは断ちがたいことでした。この断ちがたい食べものの誘惑をどのように断ったらよいか、私は考えるより先によく怒鳴ってしまったものです。子供を育てる上で、どの程度叱ってよいものか叱ってはならないのか、これはむずかしい問題ですが、私はこと食べることに関してはずいぶん叱ったものです。わがままによる飲食に対しては、特に厳しく監視するとともに叱りつけました。たかが食べものぐらいのことでと、父母や姉妹達は子供がいじけてしまうといって私に幾度も意見してきました。私は食べもののことだから厳しくするのだと反論したものです。食は命なりといわれています。私もこれを真実と理解できていましたので他のことはともかくとして、食べものに関しては厳しさを変えるつもりはなかったのです。まして、玄米食をしていると玄米食以外の余剰の栄養食はすぐに身体や心理状態に反応となって現われるので、ちょっと注意して観察しさえすれば、その変化をすぐに見抜くことができるのでした。嘘をいっても隠し通せないのです。

私は「健康の七大条件」で自分をも子供をも観察するくせがつきました。これは大変便利な健康のバロメーターとなって、これで日々の子供の生活を観ているると、その日その日の子供の体調が非常に正しくわかってくるのでした。子供達も、私に叱られたり、それでもまだいろいろと邪食を繰り返して、体調を悪くしてみて次第に食べものと体調の関係がわかってきました。同時に玄米食が身についてくると感覚も健康になってきて極度の邪食を欲しなくなってきました。黙々と玄米御飯を食べる時は健康の七大条件通りの生活となり、おかしなものを食べて異常な食欲状態になると必ず風邪気味になったり不快な体調になるのがわかってきました。

玄米食には拒絶反応を示していた父母も、気が向いた時には一口でも食べてもらうことに努めているうちに、時間はかかりましたが食べてみれば思ったよりもおいしくて、しかも便通がよくなることが目に見えてわかってきて、便通には玄米御飯の方がよいというようになりました。便通がよくなればおなかが爽快になるのは当然であり、おなかの調子が爽快となれば身体の調子も快適になってきます。年寄りには軟らかく炊いた玄米御飯でないと食べるのに苦労しますが、なるべく本人の自主的な意志で食べてもらうように心がけるのが、円満にゆく秘訣でした。

なぜ玄米食か

玄米食はなぜよいのか、玄米は特に私だけによく適するのか、私は考えてみました。私の身体によいからといって、誰にも適すのかどうか、家族に無理強いしているのではないかとも考えました。娘によかったのは事実です。私自身によいのも事実です。だからといって誰にもよいものかどうかは疑問です。私達のほかにも、玄米のおかげで健康になった人、慢性病から救われた人は沢山あります。しかし玄米食をしなくても健康な人は沢山あります。こう考えると、どうも体質の強弱に食べものの適不適は深く関係していると考えられます。また日々の食べものと生き方によって体質がよくも悪くもなり、健康にも病気にもなることがわかってきました。

私は玄米食をしてみて、はじめて、食べるということは生命をいただくということであることを知りました。食べものそれぞれの生命をいただいて自分の生命とさせていただく、これが、「食は命なり」ということ、そのためには生命力ある新鮮な食べものをいただくこと、それでは生命力ある食べものとはどのような食べもののことを指すのかと、食べものへの関心が順次強くなってきました。

それまでの私は、食べものといえば蛋白質、脂肪、炭水化物とか、ビタミン、ミネラルとか、カロリーだとかいうように、数値や単位で解釈する食べもの観一辺倒でした。この食べもの観にも一理も二理もあるのは当然です。しかし食べものの生命観も非常に大切に思えてきました。

玄米食では一物全体食を理想としています。食べものの部分部分を食べるのではなく、一物の全体を食べる。全体を食べることによって、そのものの生命力をより自然に摂取できるというのです。植物でも動物でも、それぞれの個体は、その一物全体でもって生物としての栄養の調和がとれて生命力が発揮されており、その個体の一部分を採って食すのは偏りの原因になりやすいというのです。肉を食べるのでも本当なら牛一頭、豚一頭というふうに、鳥でも魚でも丸ごと一匹を食べるのなら全体の栄養のバランスを崩さない食べものとなる。しかしその一部分だけではどうしても不完全なものとなってしまう。

肉食を主食とする国では、牛でも豚でも羊でも鳥でも、それらを丸ごと一物全体的に食す料理法が今でも残っており、一物全体で食す風習も残っています。といっても、牛一頭、豚一頭を一人で食事ごとに食すのは不可能なことです。結局、部分を食すことになり、欠けた部分に相当する栄養を他の食品で補充することになります。こうして西洋では栄養学が進歩することになったのでしょう。肉食にくらべ、穀物と野菜を主とする菜食ははるかに一物全体食がしやすいのは事実です。

植物（穀物や野菜や海藻類など）を血や肉とできる機能があるなら、それをフルに活用するのが人間の正しい生理生体ではなかろうか。自分の生命に必要な栄養は自分の機能で生み出す。これは自活の根本ではないかと考えるのです。自分にその能力がありながら機能の一部を休業させるような肉食や栄養食や栄養剤などは効率的で便利ではあるけれど、それは借金による経営に似ている。家庭でも会社でも国の財政でも同じで、借金でその場を切り抜けるのは簡単ですが、どうやりくりしても返済不可能になると、倒産、夜逃げという事態となってしまいます。苦労はあっても借金せずに済ませる経営がやはり大切なのと同じです。一度借金すれば、その分だけ、ある部分の機能の減退なり退化が必ず生じているはずです。

こう考えて自分の身体を診ると、私の身体は借金だらけでした。高栄養物や強化栄養食品や栄養剤という借金をすればするほど、体内の各部門は借金経営に頼りきって自ら稼ぎ出す意欲も意志も失ってしまって、それが長期になれば更生能力もなくなり自然倒壊となるのが道理です。私は自分の身体の機能を十分生かしていなかったことを悟らされました。借金の埋め合わせを借金で行ってはならない、苦しくても時間がかかっても自分の力で稼ぎ出して借金を減らしていかなくてはいけないのでした。

私は母と借金のことが思い出されます。父が事業をしていた頃のことです。取引先が倒産して多大の借金をしなければやっていけなくなり、父は銀行から借金をしました。しかしそれ以後事業は好転せず、父自身も大病になって廃業せざるを得なくなり、銀行からの借金だけが残りました。私が小学生の頃のことです。当時の私の家の状態では大金の借金を返済するのはとても無理でした。

この時、母は銀行の係員に来てもらって家庭の事情を率直に説明し、一時に全額を返すことは全く無理なので月々少額を返済することを約束したのです。そして次の日から手仕事の内職をはじめました。当時は手内職でさえ簡単にはありつけない時代でしたが、母はあちこちから何とか見つけてきては、毎日毎日深夜まで内職です。私や姉たちも母と一緒になって、それはいろいろの内職をやったものです。苦労が大きいわりには内職での報酬はわずかです。それでも母も私達も苦労と思ったことなしに、今日はいくらできた、明日はいくらつくろうと、遊びのようにして続けました。そして内職で得たお金を、母は銀行へ返済していたのです。

私達は銀行にいくら借金があったか知りませんでしたが、月末になると銀行員が集金に来て、何年ものあいだ随分長くかかってついに返済しました。返済が終った時に銀行の支店長さんが来て、「お宅のお母さんは偉い人ですねぇ、こんな長い期間一度も約束を違えずに返された例は支店ではじめてです」と私達の前でほめて下さった時は大変嬉しかったものです。毎月末集金に来ていた係の人も大変よい人で、母が内職をしながら借金の返済に努力していることを支店長さんに報告していたのでしょう。その人は転勤した後までも、近くまで来ると家に寄って、私達にお母さんは偉いお母さんだと、幾度もほめてくれたものです。

これは身体のシクミとは直接関連することではありませんが、私は自分の身体が栄養食とか栄養剤という借金で維持されていたことに気づいた時、母の借金返済法が思い出されたのです。母は父の借金を返すために、他から新たな借金をして間に合わせるということをしなかったのです。見栄も外聞も捨て苦労の多い内職をし、さらに生活を切りつめて、切り抜けたのでした。このおかげで、その後の生活がどんなにラクになったかしれませんでした。私も身体を健康に回復するのには根本的な方法でなければいけないと気づいたのです。一物全体食を思想とする玄米食は借金による更生法ではなかったのです。自立更生法だったのです。

牛や豚などでは一物全体はおろか、一食分としては一部分のそのまた一部分程度しか食べられません。それが玄米となると、一粒一粒に芽の出る生命があるものを、一食に何千粒も食べられます。生命をいただくという観点では玄米は最高の食べものだとわかりました。

私が玄米食をはじめて体調が快適になってきた頃、農薬公害が各地で発生して大きな問題となりはじめ、工場廃液汚染公害も大問題となりました。お米を玄米で食べるのは公害物質を直接取り込んでしまうから危険であるという意見がさかんに出されました。私も心配にならないことではありません。大量の農薬や、汚染された土壌で生産されたお米より、そうでないお米の方がよいに決まってます。私の食べるお米がどこでどうつくられたのかわかりません。かといって精米すればこの不安は除去されるのかも疑問でした。

玄米食をしてみて私は便通が非常に快調となりました。疲れを感じなくなりました。風邪をひいたかなと感じても、以前ならきっとダウンしたのが、寝て起きると回復するようになりました。こうした自覚症状を実感すると、玄米が新陳代謝力を高めるといわれていることがよく納得できるのでした。

玄米が代謝に優れているということは、数々の実験研究でも証明されています。たとえば、「コンパ21」（№332）によると、米の水銀農薬残留試験で、白米食マウスよりも玄米食マウスの大便の方に水銀排泄が多く検出されました。玄米には農薬が多いのだから排出量も多いのは当然という意見もありましたが、そうではありません。玄米は米自体に含有した不純物を排出する力が強いばかりではなく、体内にすでに取り込まれて滞留している不純物や毒素の排泄力も強いので、検出される不純物の量が多くなってくるのです。

便通がよくなるということも、疲労の回復力が高まることも、吹出物や鼻汁やタンなどがしばらく活発に排泄されるようになることも、これらはみな玄米の組成分の中に新陳代謝を旺盛にする物質が含まれていることにほかなりません。玄米を食べていたために公害病になったという例は聞きません。反対に、広島、長崎での原爆被災者の中で、厳格な玄米食を行っていたために放射線や放射能による疾病から助かったという実例が報告（『長崎原爆記』秋月辰一郎著弘文堂）されているほどです。玄米食は自然治癒力を高める力を秘めているのです。

玄米食では栄養不足になるのではないかという疑問も持ちました。私も妻もそうでしたが、蛋白質なら肉や魚や卵や牛乳を、脂肪ならバター、チーズを、カルシウムは牛乳や魚で、ビタミンは果物や野菜でという公式が頭にこびりついています。白米や精白パンを主食としたり、肉類を主食とする栄養学ではこの公式になるのですが、玄米食になってもこの観念が絶えず頭にチラチラ現われて、生命を食すという玄米食の食べもの観を混乱させてしまうのでした。

そこで私は玄米の栄養成分について研究してみました。米を白米で食べて、白米としたために不足した栄養分を他の食物の組み合せで補充するのがよいのか、玄米のもてる栄養分をそのまま摂取して、不足と思われる分だけを最少限補給するのとどちらがよいのか、まず白米と玄米との栄養はどう違うのだろうかと興味を覚えました。

別表で白米と玄米を比較してみると、糖質とカロリーは白米の方が多く、他の栄養素についてはすべて玄米の方が多いことがわかります。また米の蛋白質は、他のあらゆる食品の蛋白質と比較して、非常に良質だということがわかりました。しかし食べものは良質な栄養素が多ければそれでよいのか、これも疑問として浮かんできます。良質な栄養素が多ければそれでよいなら高度な加工技術でこの条件にかなった人工食品でもよいことになります。現代の食品加工業界の生産状況は良質で栄養が豊富にありさえすればよいという食べもの観によってなされているわけですが、その結果病気や病人が減少したかとなると、そうではありません。良質な栄養食品さえ食料とすればよいというのでもなさそうです。

結局は食べものの生命力の問題なのではないか、玄米がよいのは組成分の調和がとれている上に良質で、発芽して新しい生命を生み出す力を秘めている、白米にはその力が失せてしまっている、この点が玄米の最も貴重なところではないかと考えられました。玄米の組成分をそっくりそのまま寄せ集めても、栄養成分の質と量とその他の条件を全く同一にしてみたとして、寄せ集めの成分で新しい生命を誕生させることは絶対不可能でしょう。この生命力が人体に入って、効果や影響の違いとなって現われるのだと考えられてなりません。さらに玄米は健康な血液中のナトリウム・カリウム比に近い成分比を含有していることは先に述べました。

玄米にはこんなに栄養が……

米の分析試験結果　　　（100ｇ中に含まれている量）

	白米(市販)	七分づき	五分づき	三分づき	玄　米
たんぱく質	5.6%	6.3%	6.5%	6.7%	6.7%
脂質	0.4%	1.3%	1.9%	2.3%	2.4%
灰分	0.4%	0.8%	0.8%	1.2%	1.2%
繊維	0.2%	0.4%	0.5%	0.7%	0.7%
糖質	80.7%	78.2%	77.5%	76.4%	76.2%
カロリー	362cal	361cal	359cal	349cal	349cal
鉄	0.32mg	0.70mg	0.95mg	1.30mg	1.26mg
カルシウム	4.29mg	6.11mg	7.16mg	7.86mg	8.37mg
ビタミンB1	0.07mg	0.24mg	0.35mg	0.38mg	0.44mg
ビタミンB2	0.02mg	0.04mg	0.04mg	0.05mg	0.05mg
ビタミンB6	0.082mg	0.206mg	0.287mg	0.330mg	0.494mg
パントテン酸	0.48mg	0.78mg	0.86mg	0.99mg	1.33mg
ナイアシン	0.76mg	2.26mg	2.90mg	3.32mg	5.74mg
ビタミンE	検出せず	0.7mg	0.8mg	1.0mg	1.1mg
葉酸	0.002mg	0.003mg	0.003mg	0.005mg	0.005mg

（ビタミンEはガスクロマトグラフ法による検出限界0.5mg%）
分析依頼先　財団法人　日本食品分析センター
成績No.　　ＯＳ　第22090266・22110020 号による

最近、献血運動がさかんに叫ばれています。日赤血液センターの所長をしていた森下敬一博士によると、近年献血される血液には使用不可能な不健康な血液の比率が非常に高まっているとのことです。特にお正月の休み明けに採血したものに一番不良な血液が多いとのことです。これはお正月にいろいろな沢山のご馳走を食べるために、血液の成分がさまざまな飲食物の栄養成分によって汚濁される結果の現象だというのです。せっかく献血されても、それが使用不能の不良な血液とは、どちらにとっても残念なことです。飲食物によって血液が敏感に影響されていることがわかります。

私は玄米食になってみて、はじめて血液についての正しい認識を学べるようになりました。それまでは健康と血液の関係などについて全く無関心でした。世間一般の常識程度のものは持っていると思いこんでいたのに、その常識がどれもこれも生半可なおぼつかない知識ばかりです。血液についても、何となく知ってるようで、実は何ひとつ肝心な大切なことは知っていないのでした。玄米食をしなかったら、生涯血液の重要性を知らないまま絶えず病苦に責め悩まされて、情ない暗い人生を歩まざるを得なかったかもしれません。玄米食をして血液の認識を深められたのは一大収穫でした。

以前の常識と生活では、頭が痛くなったら頭痛薬、腹が痛いなら胃腸薬、発熱には風邪薬、下熱剤、糖尿病にはインシュリン、高血圧には血圧降下剤、不眠には睡眠薬、イライラには精神安定剤、ガンには抗ガン剤、疲れには栄養剤、健康維持には栄養食をというのが公式です。この公式通りの生活をしていれば常識人として面目が立つのです。しかしこの公式のどこにも血液に関する思考要素や血液を健康にするという過程は出てきません。

私は玄米食をしてみてはじめて、食べものが血液となり、血液が細胞となり組織や器官や筋肉や骨や神経となると同時に、病気になるのも病気を治すのも、健康になるのも幸福になるのも、これはみな血液の程度いかんであるとわかってきました。この血液のもととなるのが日々の食べものだと知って、私は以前の食べもの観も生活法も非常な考え違いだったことを反省させられたのです。

さて、玄米食の欠点についても考えてみました。その第一は、何といっても、現代は玄米食のしやすい社会形態ではないことです。その二は、見た目が野暮ったいこと。その三は、怠けていられないということ。食事するにも料理するにも、よくかまなければならないことも、内臓その他諸器官が持って生まれた働きをせねばならなくなることも、これは実は欠点ではないはずですが、ラクしてトクをしていたわがままな人間にとっては欠点かもしれません。しかしこれらはどれでも本質的な欠点とは思えません。

玄米には本質的な欠点は見当たりません。米を食べるとバカになるとか、米を食べると糖尿病になるとか、一時期米への偏見が大きくとりざたされました。これなどは白米の欠点を指摘したものと解釈すれば当たっていないわけではありませんが、このような偏見によって米の認識が非常にゆがめられるのは事実です。そしてこの偏見によって、肉食を中心とする動物性食品による栄養学が信仰されるようになり、お米を主食とするわが国の伝統的な食事法が放逐されてしまったのも事実です。白米を食べていたのではこのへんの真偽を見ぬけないのでした。

私は玄米食を実践してみて、ことの本質、生命の本質、これらを大変スムーズに整然と理解できるようになってきました。健康になったばかりではなく、こうしたことを理解できるようになれたのでした。

玄米食と子供達

玄米食で子供は育つか

私達には五人の子供があります。玄米食にして本当に子供は満足に育つのか、妻は私よりも心配のようでした。彼女は生来丈夫にできているので、玄米食の効用を私ほどには痛感していないのです。何を食べても丈夫なので、世間並みの食事で子供を育てても子供に悪いはずはないと思っているのです。

私は長女と私自身の実体験から、いまや何でもかでも玄米食がよいのです。妻は玄米食のよいのは十分わかるけれど、そればかりに神経質になって一辺倒なのは偏食の一種になってしまうのではないかと心配しました。彼女の最大の不安は、亭主は本人がそれを最もよいと納得しているのだからたとえ多少の栄養が不足気味となって痩せこけても仕方ないとしても、発育過程の子供に栄養不足が影響して丈夫に成長しなかったら取り返しがつかない、玄米食だけではどうも蛋白質とカルシウムが不足してくるように思えてならないというのです。

こうなると夫婦の間で口論がはじまります。私は生体には生きるに必要な栄養を生成する機能がそなわっているのだから、とりわけて蛋白質とカルシウムを摂る必要はない、不安だったら心配しているよりもいかに正しい玄米食をわが家なりにするか、その方が先決だと主張して譲りません。妻は西洋式の栄養で育ってしかも丈夫で不都合がないので、どうしても肉や魚や卵や牛乳などの蛋白質とカルシウムが頼りになるのです。それに人体の生理機能では生成されない蛋白質やカルシウムのあることも心配の種です。私のいうことの理屈もわかり、玄米食の参考書の説明もわかるのですが、彼女自身の身体と感情も肉や魚や卵や牛乳などの栄養素を要求するのです。

ところが子供は生まれてしまっているし、私達の体質改善が終了するまでどういう食事がよいかを子供に待たせておくわけにもいきません。実際のところ、子供達に食べさせたり、オシメを替えたり、寝かしつけたりは妻にやってもらわないわけにはいきませんので、私も文句はいってもある程度は妥協するハメになってきます。玄米食は変わらないものの妻の主婦として母親としての自己流の配慮が食事にも加わってきます。彼女の料理の中で、私が「こんなものは食えるか」と捨て去ったことが幾度あったかしれません。そういう文句をつけてしまうだけ、私はまだまだ病気を内在していたのでした。

私は長年玄米食をやっている先輩の家庭での子供は一体どんなふうに成長しているのだろうかと、玄米食と育児の実際を観察し調べてみました。玄米食は広く一般に普及してはいないけれど、玄米食法そのものは江戸時代以前のことは別にしても明治以降にもその歴史があります。玄米食の家庭もかなりあるはずです。家庭があれば子供もあるはずで、玄米食の先輩や指導者の家庭をいくつか尋ねてみましたが、そのいずれもが玄米食とは名ばかりで家族全体で本格的に実践している家庭は見当たりません。いくつかあっても、その子供達となると、時流の栄養学での食事になっていて何ら世間一般と変わらず、参考となるものが得られません。反対に、玄米食は時流に逆らう食事法として実践することの困難さをいよいよ痛感させられたのです。ほとんどの家庭が病気治療か健康維持程度の玄米食であって、当面の健康状態に不都合のない人は、同じ家庭でも玄米を食べていないのです。もちろん、家族だからいやでも何でも同一の食事をしなくてはいけない決まりはありません。その家庭で支障のない食事なり生活法をすればよいわけで、玄米食者の家庭がそうだったからといって批判できることではありません。ただ私は参考となるホレボレとする実例を得られなかったのが残念でした。

桜沢式の玄米食というのは病気治しや健康維持程度のものではないのです。桜沢如一氏の教えている玄米正食と真生活法は、もっと別の、崇高な目的のためのもののはずです。玄米食に日の浅い未熟だった私にも、桜沢氏の何のために玄米正食がよいか、人間にとってなぜ真生活法を実践すべきかの思想と哲学はよく納得できることでした。そして今、この思想と哲学は頭ではよく理解できても、実践するとなるとなかなか困難なものだという実態を見たのです。参考となる実例を得られないので、自分は自分なりにやってみるしかなくなりました。丁度この頃、現在、わが国の玄米正食の第一人者である大森英桜氏が、私とまったく同じ気持ちで子育てに取り組んでいることを知りました。私は過去によい参考を見つけ出せなかったものの、近くに大森氏の家庭のあることを知って、その後今日まで、どんなにか参考になる教えや示唆をいただいたかしれません。私は大変心強く励まされました。

私達は五人の子持ちです。男を頭に、女、男、女、男の生まれ順です。長女が生まれてのち玄米食との縁ができたわけですから、長男は二歳から、その後の子供達はわが家の紆余曲折の玄米食の歩みに合わせての成長です。試行錯誤のわが家の玄米食の歴史が、ひとつひとつ子供達の身体に記録されています。

長男と長女は私達の生活も食事も現代流そのままの時の子供です。長男は誕生も発育も正常で順調でした。その頃の私の体調は決してよくはなく、絶えずノドの奥をまっ赤に腫らして高熱を出し、背中には鉛の板をはめこんだような重苦しさがあって、幾日も寝こむ日が続いたりしました。妻は結婚したてでもあり、私を何とか丈夫にしようと栄養のある料理に心を配り、私は医者に行っては注射してもらって薬を飲んでいました。妻は「わたしは看病するために結婚したようなものね」などというのでした。その頃は勤務先の都合で父母とは別居でしたので、父母は私がこんなにも弱くなっていたとは知らず、妻は私の病弱が予想以上だったのを知って随分後悔したに違いありません。新婚世帯といえばそれなりに夢と希望があるのに、私はしょっ中病気で寝こんで大汗を出し、そのたびに蒲団から着物何組も洗濯するはめになり、どうにか寝こまずにいられても絶えず不気嫌で始末に負えないやっかい者でした。こんなありさまでも結婚して二年後に、長男が無事に元気に出生できたのは、今になって思うと非常な幸運でした。これは全く妻の健康のたまものにほかなりません。

私はあの健康状態で、妻も弱くて医薬品を多用する健康状態だったら、私達は満足な子供を授かったかどうかわかりません。女性の健康がいかに重要かわかりました。しかし、さらに二年後の長女の誕生となって、今度は長男の時のようにはいかなくなったのです。妻の身体も、健康ではあったものの、気づかない部分で微妙な変化を起こしてきていたのです。

長女のおかげでわが家の玄米食がはじまりました。玄米食になりたては、教科書通りに実行しようと努めても、なかなかその通りにはできませんでした。私は私の意志で自分なりに厳格にするつもりでも、妻は玄米食でなくても特別な不都合も影響もないのでついつい従来の栄養食を料理に加えたがります。そのために、肉や卵や牛乳や果物をピタリとやめられないのです。摂取する量は以前に較べれば半分から三分の一とか、その回数も二回が一回に、三回が一回という具合に減ってはきていましたが、何やかやと理由をつけては栄養の観念が出てきます。主食は玄米でも副食に栄養の豊かさが見られないと心配になってくるのでしょう。私はこのような妻の料理を指してこれはゴマカシ玄米食だと批判し続けたものです。しかし今になって考えてみると、特別重症な病気でもない人の身体にとっては、細胞が同類の細胞を呼ぶ要求をある程度満しながら玄米食に転換していくのも一方法だったようです。この方が健康な人が玄米食に入っていくのに抵抗の少ない方法かもしれません。しかし効果は遅くなることと、玄米食への意志が崩れやすい欠点のあることを絶えず覚悟していなければならないようです。

長女が生まれて二年後、二男の誕生です。肉や卵や牛乳をほとんど摂らなくなった代わりに、蛋白質もカルシウムもある小魚の一物全体食なら食養的だという解釈から、妻は二男の生まれる頃は玄米食にかなりの小魚類を入れていました。二男は非常に元気な状態で生まれました。

お産も陣痛から出産までアッという間の軽い出来事でした。今度は長女の時と違って母乳も十分に出、二男もよく飲み、少しの異常もなくスクスクと成長しました。完全には守れなかったとはいうものの玄米食を主食にして食養的な考え方で食事を行い、質素で体をよく動かす真生活法的な生活を努めた成果がよく出ているのがわかるのでした。

食養法はあらゆる食べものについての正しい基本的な認識を与えてくれました。玄米食は関心のない人が見るとえらく食べものに神経質になっているような印象を与えますが、神経質なのではなく食べもののひとつひとつの特質がよくわかるために生じる配慮にほかならないことなのでした。食べものを正しく詳しく学ばなくては正しい玄米食はできないのでした。玄米食をするしないにかかわらず、食養法を学ぶことは非常に大切なこともわかってきました。

食養法というと古くさくて野暮ったい感じですが、東洋の栄養学なのです。西洋式の栄養学も大切ですが、東洋の栄養学である食養法も非常に大切なのでした。まして日本は東洋にあって、日本人は東洋人です。日本人には東洋式の生活と食事法が適していることは論をまたないところです。西洋式はあくまでも参考として取り入れるところに価値があって、基本はわが国の伝統的な生活や食養法の方が日本人に適していることが理解できてきました。玄米食養法は筋道立った知識を生きた流れとして教えてくれています。また生命現象も生命力も宇宙の生命の流れの一環であると教えています。これは西洋の栄養学にはないことです。

食べものの特質や特徴を学ぶと面白いことがわかってきました。長男は私達が肉や卵や牛乳を沢山食べていた時に生まれたので、ねぎや白菜やしいたけなどの野菜を抵抗なく食べるのです。抵抗ないどころか好んで食べました。二男となると玄米食に小魚の加わった食事になった時の生まれなので、大根の煮物とか大根おろしを大変好みます。子供はとかく野菜を好まないといわれますが、子供がどういう食べもので生まれ育ったかを観察していたおかげで、体質に見合った野菜を食べさせられるわけです。肉にはねぎや白菜を、卵にはしいたけを、魚には大根をというふうに食べものの相性は相補い中和して毒素を解消するようにできています。子供が成長とともに食の好みが変化するのは、体質の変化が本能的な要求となって現われるからです。

子供の体質が欲しない野菜をいくら食べさせようとしても、食べないのにはそれなりの道理があるのです。野菜にはビタミンがあるのだからという栄養素の観念で与えても、子供の体質が欲していない野菜だったら食べてもそう役に立たず、無理強いすれば偏食の原因となってきます。食べものと食べものの相性、特に動物性食品に対する野菜の相性を正しく認識すると、食事に無駄も少なく、しかも身体には効果的だとわかるのでした。玄米食養法はこれらを実に的確に教えてくれています。

　二男が生まれて二年後に、二女の誕生となりました。この頃にはわが家の玄米食も軌道に乗って安定してきていました。玄米食のよさを家族がみな納得できてきました。子供たちはみな正常に元気に成長しています。長女だけは誕生時の病気が影響してか成長がややおくれ気味でしたが、どの子も幾度か風邪をひきこんだことはあったものの軽く済み、医者のお世話になることはほとんどなしに済んでいます。発熱して寝こんでも食べものと休養で回復するのでした。二女は幼稚園へ三年間通いましたが皆勤でしたし、他の子供達も幼稚園も学校も二年間に一、二度程度の欠席で済んでいます。

　三男は二女から四年後の誕生です。二女の時よりもさらに一段と玄米食が定着してきていました。生まれも発育もすべて順調でした。『食養人生読本』（桜沢如一著）通りの出産、発育、成長です。三男の際立った特徴は、骨格も筋肉も他の子供達よりも一段としっかりしていることでした。また、目が覚めると同時にはね起き、夜はフトンに入ると同時に熟睡です。

　私達の子供は五人が五人とも異なる食べもの条件での誕生でした。現代栄養学での食卓から、紆余曲折と試行錯誤の玄米食期間があって、やっと玄米正食法らしくなったこの間の変化が、五人の子供の一人一人の身心になっています。プリヤ・サラバンは「君は君の食べたモノである」と人間と食べものの関係を表現していますがまったくその通りです。

玄米食では私達よりも五年ほど先輩のＳさんが私の近所に住んでいます。Ｓさんは結婚前に玄米食を知って、これまた玄米食に熱心な女性を奥さんにしました。ですからＳさんの家庭は世帯を持った最初から玄米食一家です。私のところとは玄米食の条件が違います。夫婦とも玄米食者で、最初の子供さんから玄米っ子です。Ｓさんのところも五人の子持ちです。どの子供さんもみな立派に成長しています。健康で運動神経が発達していて頭もよく、どの子も世間並みどころではありません。みなそれぞれ優れた能力を持っています。

私は五人の子供を育てつつ、玄米食の家庭で育ちつつある他の家の子供さんたちを観察していて、玄米食で子供を丈夫に育てられるかの心配はまったくないことをよく知ることができました。玄米食が正しく実践されればされるほど、子供の体質はよくなり、頭も運動神経の働きも優秀になるのがわかりました。玄米食で子供は育つかどころではないのです。玄米食こそよい子を生み育てるための基本的な理想食です。

学校給食と予防注射と接種を拒む

長男が小学校へ入学して学校給食と予防注射や接種の問題が出てきました。

私はわが家の玄米食が軌道に乗ってきて、家族がみな健康で順調になってきているし、学校給食には玄米食とは相いれない食品が多く用いられているので、学校給食を受けずに済ませたいと思いました。しかし、その当時、学校給食を断るというのは思うほど簡単なことではありませんでした。

まず家庭内での問題が出ました。私の両親、長男にとっては祖父母は、「世間で行うということを行わないでは子供はひねくれた人間になってしまう、学校給食ぐらい受けないでどうする」という意見です。近くに住んでいる私の姉は高校教師だけあって、「学校や教育委員会へ迷惑のかかることになるし、子供の教育上大きな欠陥を生じるかもしれないし、学校は社会共同生活の基本となるところなのだから、一人だけ学校給食をしないのは子供を精神的に欠陥人間にしてしまうかもしれない。たかが昼食の一食のことではないか」と大反対です。妻もほぼ姉と同じ気持ちでした。

その当時は、世間一般に学校給食そのものに対する関心は現在ほどではありませんでした。今でこそよく知られている、さまざまな有害添加物の問題、給食器具、消毒法、食法の問題など、私もよく理解していませんでした。しかし私が学校給食を断りたいと考えたのは、そういう理由ではなく、玄米食では学校給食が内容としている栄養食品を特別に摂る必要はなく、摂らない方がよい効果を早く得られると考えられるからでした。たしかに私だけの好みや流儀では自分勝手すぎるし、自分の子供さえよければ学校や他人に迷惑をかけてもかまわないという利己主義になってしまいます。

私は玄米食と学校給食の相違をさらに考えてみました。こまかな理由は別として、学校給食は何のためかをまず考えてみました。結論は子供の健全な成長のためと考えざるを得ません。子供達の丈夫な身体と健全な心を養成するための義務教育上の配慮による制度と考えました。親も教師も教育関係者も文部省も、子供達が丈夫な身体と健全な心に育つことを願っています。願いはひとつであることは明らかです。そこで私はさらに考えてみました。この願いを達するためには、学校給食と玄米食とそのほかの食事と、どれが一番子供のためによいか。学校給食はこの目標通りのものであるかどうか、まずこの点を観察してみました。

するとどうでしょう。学校給食のさまざまな欠陥や欠点が目についてくるではありませんか。まず第一に、身体によくない素材や成分がいろいろの形で加えられています。今日これらは専門的に調査され、改善されつつありますが、当時は有害食品類、有害添加物、有害色素、防腐剤等々平然と使用されていたのです。化学調味料類、砂糖などの使用も献立表を見ると実に多量で、玄米食養法ではとても受け入れられる状態ではありません。食品のどれを見ても食品業者の商業主義がハッキリしています。調理もカロリー計算を根拠にしただけの商業主義食品の寄せ集めのように見えてなりません。

沢山の学童に対して数人の調理人で給食せねばならないので物事を機械的に処理せざるを得ない事情はわかりますが〝食は生命なり〟の観点で眺めると、あまりにも多くのことが形式で運ばれすぎています。どこまで本当に学童の身体のための配慮がなされているのか疑問になってきました。パンなど持ち帰りが多く出ていたり、そのほか食べ残しも想像以上に多く、学童のための給食なのか業者のための給食なのかと考えさせられてしまいます。牛の子ではないのに、必ず牛乳を飲ませることなどは、まさに業者や業界のための制度です。

第二に、学校給食では学童の個人個人のその日の体調や体質を考慮してる間がありません。最大公約数的な給食にならざるを得ず、どの子にも的確な食事というわけにはいきません。

第三に、給食を本当に感謝の心で食べているのかどうか。学校の決まりだから食べてるだけというのでは子供のためになりません。給食を衛生教育やしつけ（道徳）教育的に採り入れている学校もありました。給食時間になると生徒全員白い帽子に白いエプロンを着け、配給当番は白マスクを着けて、手は石ケンでよく洗うことの励行です。非衛生より衛生的である方がよいには違いありませんが、バイキンは敵であるといわんばかりの恐怖と衛生観念を植えつけるような制度的教育です。このような学校給食を観察して、私には形式主義が目についてなりませんでした。

それでは玄米食なら形式主義的ではないか、学校給食を断ってまで玄米食を守りたいのはなぜか、それほど玄米食は価値あるものかを再考してみました。私はなぜ玄米食にこだわるのかを考えました。

私は子供の身体の内臓などすべての諸生理器官が、正しく真面目にはたらくようになってほしいのです。怠慢を身につけて、絶えずサボタージュすることを待ち望んで、ラクしていい思いをする生き方ばかり求め、自らの機能や能力では必要とする生命力を発揮しきれない身体になるのは困ります。退化した機能の持ち主にしたくなかったのです。生理機能が健全に働くのでなかったなら、心身も健全に働けるはずはありません。ふだん怠けているものが急に勤勉になれるものではありません。常時鍛えていないでイザという時に頑張れるものではありません。

人間のバイタリティ（活力）は一体どこから生じるか。それにはどんな食べものをも効果的に燃焼し得る内臓機能を常時調整できていなくてはならないはずです。子供のうちから機能を怠けさせてしまうような栄養食や、機能をアンバランスにしやすいさまざまな加工食品で子供の体内生理を麻痺させたり、狂わせたくはありません。粗食ではあっても素材としては優れている玄米の方が、人間の思考で成される栄養加工食品の組み合せよりも根本的に秀れているのではないか、と判断しました。粗食で生きられる働き者の内臓を子供に与えたかったのです。

次には血液の問題です。白い帽子や白いエプロンや白いマスクを着けなくても、血液が細菌に侵されない健康な血液であれば何も怖れることはないはずです。そしてその血液のモトが食べものなのですから、たとえ一日一食のことだとしても、一食をもおろそかにすべきではないのです。一食一食を真剣にありがたくいただく習慣は、子供の頃から身につけるべきではあるまいか。そのように考えました。それに体質や体調は一人一人みな異なる上に刻々変化していて、それを最もよくわかっているのが母親です。その日の身体のコンディションに合わせて食物を調理し料理するのが本当の食事です。

母親のいない子供はどうするか、いてもお弁当をこしらえられない事情の子供はどうするかという問題もあります。しかしこれは別問題として検討すべきことです。母親の愛情のこもったお弁当がよいに決まっている、お弁当には愛情がこもってるからいい、というふうな表現をよく聞きます。たしかにそのようなよさはあります。しかし私は親の愛情を示したいがために玄米弁当をと思ったことは一度もありません。玄米食を知らないで、もしも白米で栄養食の弁当とか、パンと栄養加工食品の弁当を持たす能しかなかったなら、私は学校給食を断るほどの考えは持たなかったでしょう。やはり私は、子供達の内臓をできるかぎり自然状態に育てたいのと、いかに健康な血液を持たし得るかで子供達の食事を考えたのです。これは私の利己主義だろうかとも考えました。また反対に玄米食でどんな人間形成ができるか、この例証は少ないので一人ぐらいこのような生活実験を試みてみるのも何か社会の役に立つことになるかもしれない、大それた考えですが、そのようにも考えたものです。

さて長男は入学式も終って、登校がはじまりました。そしてすぐに給食の問題となりました。学校給食を受けるか断るか決めなくてはなりません。子供にとって小学校入学は一つの未知の世界への出発に違いありません。新しい生活への出発でもあり、表現を変えるなら、一つの冒険への出発とも考えられなくもありません。この一つの記念すべき出発の前に、父親の権威で子供に臨める範囲は一体どこまでか、私は考えさせられました。丁度この時、私は桜沢氏の一文を思い出したのです。

「冒険心は排他性の二乗に逆比例する」（『世界無銭武者旅行』　日本ＣＩ協会）

これは排他性が大きければ大きいほど冒険心は小さくなってしまう（冒険心は育たない）こと、冒険心豊かな子供を育てるには排他性を持たせてはいけないとでもいう意味なのではないでしょうか。私はそのように解釈しました。この一文はあまりにもスマートで印象的だったので私は憶えていたのですが、長男にその希望なり欲望があるなら学校給食も冒険のひとつといえるし、道理を解せない幼児に一方的に給食を排斥する印象を与えては排他性の心を植えつけるはじまりになってしまうかもしれないとも思えてきました。

しかし一方、私自身の頭には、弱肉強食の表現通り肉食や動物性食品を主とする給食は排他性を促進するものであり、玄米菜食は排他性よりも穏やかな協調性に通じる生理作用に働くものがあるのになあと、やはり玄米食の正当性が思えてならないのでした。こう思ってはみたものの、これは大人の理屈です。妻をはじめとする周囲の意見もあり、私は長男自身の意見と判断によって決めることにしました。

長男も二歳以降玄米食です。毎日玄米食ですから世間的な食事に興味も食欲もあったのです。学校給食には食パン、菓子パン、カレー料理、ハム、ソーセージ、ミルクにバターにアイスクリーム、りんごやみかんやバナナやパイナップル等々、長男の心ひくものばかりです。私には美味甘味の食品のジャングル戦地に息子を送り出すように思えなくもありませんでした。蛇が出るか鬼が出るか、まあ何が出てこようとそれに闘い抜くのも負かされるのも貴重な体験と思いました。

案の定、長男は給食を受けたいと意志表示です。これで学校給食を受けることに決まりました。私は私の意志が子供に通じなかったかと秘かに悲しかったものです。

こうして長男は嬉々として通学をはじめました。ところがどうでしょう。一週間もすると長男は学校の給食はおいしくないと、その味覚を表明です。味のよし悪しはわがままの範囲内のことですから私は相手にしませんでした。二週間ほどたちました。何となく朝の目醒めや機嫌の悪い日が多くなってきました。三週間ほどたった頃になると眼ヤニや黄色い鼻汁が出てきました。自分でも気分が悪いのが気になり出してきたのです。給食は甘ったるくて気持ち悪いなどと訴え出して、一カ月たたないうちに、ボクは給食をやめて玄米のお弁当を持っていきたい、といい出したではありませんか。私と妻は幾度も長男に念を押してみました。本当に給食がいやになったのかどうか、お弁当を持っていってまた給食になりたいなんてことはできないぞと。これに対して長男は、ずっと弁当を持っていくとハッキリした答えです。最初の意志表示は味覚だったのが、眼ヤニや鼻汁の生理的な不快さの自覚になっての判断ですから、私は給食による体質への影響を明らかに認めたのです。長男も食べものによっての身体の変調を納得したのです。

そこまで確かめたのち、妻が学校へ行くことにしました。妻も子供本人の自主的な判断であり、給食の影響も明瞭であり、玄米食のよいこともわかっているので迷いはありません。担任の先生に率直に申し出たわけです。先生もその場で決められることではないので校長先生とよく相談してみましょうということになりました。その翌日だったか、妻は玄米食の説明をよくできないからと、次は私が学校へ行きました。私は長女の病気からはじまったわが家の玄米食を説明するとともに、玄米食についての説明をひと通りしたわけです。先生は私の説明を聞いたのち、「玄米食をさせたいから給食を断るというのではなく、アレルギー体質とか異常体質のために給食を受けられないということでしたら認められなくもないのですが、いかがでしょうか」というのです。私はオヤッと思ったものです。しかしすぐに先生には先生の立場があり、学校には学校の立場のあることに気づき、いまは要するに弁当持参を認められればよいので、異常体質でも何とでも結構と答えて許可されたのでした。

私は希望が達せられてホッとしたものの、現在の学校給食は学童一人一人の健康のためというよりも制度のための惰性的行事として行われてるにすぎない、と悲憤を覚えたのでした。しかし学校給食制度の討論をするために学校へ出かけたのではないので、その場は穏やかに引きさがったのでした。

こうして長男は玄米弁当持参になりました。私達は長男一人だけが弁当持参することが子供の心理にどのような影響を及ぼすか、それはそれなりに心配でした。玄米食が生理のためには理想的であっても、一人だけみなと違う食事をする光景は目に見えない心理的悪作用を及ぼすのではないかと心配でした。身体にはよい取りはからいをしたけれど心には悪かったという結果になったのではアブハチとらずです。ところがこれはまったくの杞憂であるとすぐにわかりました。子供達の世界は大人が考えるような陰湿で不純な世界ではありませんでした。長男が平気であれば同級生も平気なのです。低学年の子供の世界には邪念がないのです。しかし心理的な影響については短期間の表面的な反応ぐらいでは判断できませんから、これは人格形成の生活実験として引き続き観察するしかありません。

長男が弁当持参となって以後、わが家の子供たちはみな長男と同じ過程を経て弁当持参にさせてもらっています。あくまで自主判断をとらせて本人が納得した上で玄米弁当を持参することができたわけです。しかし五人の子供が新入学するたびに一旦は給食を受けてみて、長男の時は約一カ月後に、長女と二男は二週間で、二女は一週間で、三男は受けたそうな気持ちはあったようですが最初から断ることになって、学校にはそのたびごとに迷惑をかけたものでした。しかし学校側でもわが家の方針を理解してくれて、どの子に対しても快く弁当持参を認めて下さったのです。

学校給食のほかに予防注射や接種の問題があります。これは子供本人の自主判断でというわけにはいきません。自主判断でとなれば痛いからいやといえるくらいのことです。免疫体の効果は確かに伝染病に対して有効です。私は次のように考えました。私の兄達三人ともみな幼少時に疫痢で亡くなりました。しかし同時代の子供がみな一様に死んだわけではないのでした。さらに、注射や接種のなかった時代はどうだったのでしょう。予防注射や接種がなかったので赤ちゃんや子供はみな死んでしまったでしょうか。どうもそうでもなさそうです。死んだ子もあり、病気になった子もあり、何でもなく丈夫に育った子もあるのです。現代でも同じです。予防注射や接種した子がすべて病原菌に侵されなかったかというと、そうでもないようです。

そうすると、病原菌類に負けない身体と、それらに負けてしまう身体の相違が問題だということになるではありませんか。空気中にも土の中にもどこにでも、細菌や微生物は数限りなく存在しているはずです。一回の呼吸の空気の中にさえ、結核菌や風邪ウイルスやさまざまな菌類がウヨウヨしているはずです。どんな菌類や微生物類が体内に侵入しても、それらと平然と共存するなり排除排泄できる身体であればよいはずです。そうなると予防注射や接種以前の体質や血液の健康が問題であって、この基本をおろそかにしていくら注射や接種をしても駄目な時は駄目なわけで、健康な血液づくりこそ大切なことがわかってきました。健康な血液づくりには正しい食べものを正しい取り合わせで、正しく料理して正しく食すという正食法が基本であり、注射や接種よりも正食を守ることこそ何よりもまず大切なことではないかと考えました。このような理由で私達は予防注射も接種も断ったわけです。

しかし学校の実際の処理法は、給食を断る理由づけとなった異常体質しか有効ではなかったのです。たしかに学校給食も予防注射も接種も断るのは異常体質ということにでもするしかないかもしれません。けれども現代の何ごとも何ものも受け入れられる体質が正常体質なのかどうか、それにしては学童に頻発してきている立ちくらみ、貧血、虫歯、近眼、風邪、消化不良、糖尿病、小児ガン、白血病、骨折等々、正常体質にしては異常症状ばかりの出現です。

私は予防注射や接種を受けない代わりに、健康な血液づくりに熱心にならざるを得なくなりました。血液を汚濁したり薄めすぎたり濃くしすぎたり、弱質化する飲食法や生活法を慢然としていられなくなってきました。玄米正食による真生活法をいよいよ正しく厳格に家族全員で実践しなければならなくなってきました。

健康で頭のよい子にするにはどうするか

「身心の健康は血液の健康に比例する」

この簡単な真理を私は読むなり聞くなり教わったことがあったろうか、娘が病気になる以前に、このようなことを学んだことがあったろうかと反省してみても、どうも心当たりありません。

そこで私は幾人もの人達にこのことを聞いてみました。「それはそうさ」とか、「それはそうに決まってるよ」と平然と応える人、「へえー」「そうだろうねえ」と人ごとのようにいう人ばかりです。さすがに「そんなことはない」と否定する人はありません。私は沢山の医者の世話になりましたけれど、一人として、「キミ健康になりたかったら血液を健康にしなさい、そのためにはこうしなさい」と、健康と血液の道理を語ってくれた人はありませんでした。どの医者も決まって「栄養のあるものを好き嫌いせずに万遍なく食べて、適当な運動と十分な休養を心がけて、とりあえず注射しておきますからあとは薬を飲んで様子を見ましょう」というのが公式です。医者にいわせれば、そうすることによって血液を健康にする方向へキッカケをつくるという意味なのかしれません。信頼して黙ってついてくれれば、いずれそうしてあげようということなのでしょうか。

「身心の健康は血液の健康に比例する」といってみたところでこれは表現にすぎない。この表現が真実なら実証する必要があります。それには自分自身が健康になる。次いで自分の子供に実証できなくてはならないことです。医者に見離された長女がその後スクスクと丈夫に育っているのは第一に心強いことです。ほかの子供達も順調に育っています。しかし現在は順調のようでも今後はどう変化していくのかはわかりません。時代がどう変わっても、生活環境がどう変化しても、どんな災難や苦難の中でも健康な血液を維持する知恵を体得させておくこと、これができないなら私は親として失格です。私は子供に生まれながらの健全な身心を授けられなかったのですから、せめてそれに近い状態の健康な身心に育ててあげなくては申しわけありません。

私の子供達はどの子も三、四歳になると、「おうちではどうして玄米食なの？　どうしてよそのおうちのようなものを食べてはいけないの？」と私に恐る恐るたずねたものです。その都度、長女の赤ちゃんだった頃のことを繰り返し話すのですが、子供達はその話だけでは納得しきれないのです。いろいろな食べものの誘惑を試みたい好奇心が働いているのです。私は幾度か話してみて、それでもわからないと「黙って玄米だけ食べてればいい！」と怒鳴って突き放したものでした。子供達を納得させきる知恵も知識も忍耐心も持ち合わせていなかったからです。「怒鳴らなくてもいいじゃないの」と妻は子供をかばって、「こんな小さな子供にも、よその家と自分の家でやってることの違いが気になって、それが不思議でならないのだから、わかりやすく、やさしく説明してもらわなくては困ります」と意見されたものです。

「説明をして、理屈を納得したから食べるというようなことではない」と私はそれ以上話したことはありませんでした。自分がよく説明できないので、有無をいわせず食べさせる主義を採ったのです。有無をいわせず食べさせる方法も一つの方法だと思っています。私は子供達が、「わたしのうちではなぜ玄米を食べているのだろうか、わたしたちはなぜ玄米を食べさせられたのだろう？」という疑問を大人になるまで疑問として持ち続けてほしいのです。親として他に何も子供達に与えられなかったとしても、この疑問だけは頭に焼きつけて与えておきたいと考えました。この疑問さえ持ち続ければ、大人になればきっと正しく理解できる時がきます。その時がはじめて自分なりに理解し納得する時であって、それまではあえて知らしめなくてもよいと考えたのです。私はこのようなつもりで突っぱねる半面、もっと簡単な会話は幾度も交わしたものです。そのような時に私は、健康と幸福への道を教えている『永遠の少年』（桜沢如一著　日本CI協会）を利用したものでした。その本には、こんなことが書かれています。

本能という、君がもって生れたすばらしい武器に磨きをかけることです。人間以外の動物、植物は、学校へも病院へも行かずに、すばらしい肉体の健康と、精神の健全さを持っているでしょう。

……中略……

草にしても、すばらしい化学者だ。分析も、試験管も、メートルグラスも、けんび鏡も持たずに、地中からかならず自分の体に必要な成分を、そして分量をまちがえずにとり入れます。そして、きまった色の花や、きまった味の実を、不思議にまちがいなくつくり出します。それればかりか、蛋白や、脂肪や、含水炭素や、ビタミンもつくります。これはどんな科学者にもできないことです。

動物や草木ですら、それですから、人間といわれる私たちは、動物や草木よりよほど美しい花を咲かせ、みごとな実をならせ、大きな仕事や、面白い遊びをしなくてはならないのです。

……中略……

万人が例外なく、この世でのぞむ幸福というものは、自由（健康）と平和（幸福）です。（自由なき平和や、平和なき自由ではありません）これを身につける道を発見さえすれば、全人類から感謝され、ほめられ、したわれるのです。コロンブスのアメリカ発見やニュートンの万有引力の法則の発見どころではありません。この自由と平和は、学校や工場や、病院でつくられるものでも、教えられるものでもありません。しかし、不思議に人間がみな、持って生れて来るのです。生れる前から持っているものです。草でも木でも、鈴虫でもクモでも、ライオンでも、象でも、みな、これ（自由、健康、幸福、平和の道、原理）は、生れぬ前から知っているのです。これを知らなかったら生れて来るわけにはいきません。どんな科学者にも、科学でも、技術でもできないことを、すべての生き物はすらすらやっています。それが何よりの証拠です。たとえば、君は目を持っている。心臓も持っている。六十兆ほどの細胞も持っている。その目、心臓、細胞を誰がつくることができますか。どんな精巧なカメラだって君の目にはおよびません。

どんな飛行機のモーターだって、ジェット・エンジンだって、原子力モーターだって、どんなに大きなりっぱなビルディングだって、君の心臓や細胞一つにおよぶものではありません。それをつくったのは誰だ？

……中略……

とにかく本能のくりやくるいをとりのけることです。

本能のくりやくるいをとりのけるために、きれいな健康な血液が必要です。きれいな健康な血液をつくるために、正しい食べものを正しくとり合わせて正しく料理して、正しく食べ、正しく生活することが必要になってきます。正しい食べものとなれば、日本では何といっても米であり、米なら玄米が最高ということになります。

コップに色のついた水を入れ、そこに一滴一滴清水を滴らし続けます。やがてコップの中の水は清水ばかりのきれいな水になってしまいます。これと反対に、きれいな清水を入れたコップに、汚れた水を一滴一滴滴らし続けます。やがてコップの中は汚れた水ばかりになってしまいます。

血液の健康も同じことです。汚れた血液、薄くて弱い活力のない血液では頭へめぐっていっても十分な新陳代謝のできないことは明らかです。新陳代謝ができないどころか、かえって脳細胞を汚したり窒息させてしまうでしょう。それではいくら勉強を強制しても、学習塾へ行かせても、学習機器を買い与えても、期待する効果が上がるはずはありません。

勉強させる前に、脳内生理環境を整理整頓し清潔にして、それから勉強するのでなかったら本当の勉強にならない道理になっているのです。きれいな脳細胞に学校で先生の教えてくれる文字や数字や言葉や、教科書に書かれていることをプリントする。それだけで世間を渡るに必要な学力をつけるのでなかったら義務教育の名が廃れます。義務教育以外に各科目を学習塾まで行って学ばなくては世間から落伍するなんてことは、どう考えても異常です。脳細胞がきれいで健康でなければどんなに勉強させても効果は上がらないのではないか、学習塾へ行って学習させるのもよいけれど、その前に血液を健康にして脳細胞の働きを活発にできる脳生理を整えてやることの方が先決問題ではないか、私にはそのように考えられてなりません。

ですから血液を汚したり濁らしたり、薄めたり弱めたりする飲食物や生活を私は子供達の日常生活から排除せねばならないと思っているのです。学校での勉強が十分に理解しきれない頭に、学習塾や家庭教師の学習を与えても、それがその通り効果があるとは思えません。そこで私は、子供達が欲すればともかく、子供を学習塾へ行かせようと思ったことはありません。学校の先生の教えと、教科書による自習だけでどれだけの人間になれるかを試みることにもなってしまいました。

もしも義務教育だけで世間に通用する人間になれなかったら、これは義務教育制度なり教育法に問題があるはずです。とにかく私は親の任務として、きれいで健康な脳細胞の環境づくりはしておかなくてはいけない、これこそが親の基本的な義務だと考えたのです。

わが家では、子供の体質に適さないことを理由に学校給食を断りました。しかしこれは正しい対策ではありません。その場をしのぐだけの応急対策にすぎないのです。学校給食が本当に子供のためになる内容の食事であれば、私達はそれを拒む理由はないのです。

そこで、本当に子供のための学校給食はどうあらねばならないか、これを私は考えてみました。給食における唯一の条件は何といっても〝健康な血液〟のためになるかどうか、この一点に目的は絞られます。現代では空腹を満たすための給食ではないはずです。

玄米正食法では、正しい食べものを、正しいとり合わせで、正しい料理法で、正しい食べ方によって食す方法を教えています。正しい食べものとは何か、正しいとり合わせとはどういうことか、正しい料理法とはどういう料理法か、正しい食べ方とはどういう食べ方か、この一連の食事法が守られる学校給食でないと、学校給食の意義も目的も失ったものとなってしまいます。この一連の食事法を学習し体得できる給食でないと、結果的には食品業者のための学校給食であり、制度のための学校給食であり、それにもまして子供達を弱化し堕落させるための給食になりさがってしまうのです。本能のくもりやくるいをとりのけるどころか、本能をますますくもらせ、ますますくるわせることに加担する給食となってしまうわけです。

正しい食べものとはさまざまな添加物によって合成された加工食品なのでしょうか。

正しいとり合わせとはカロリーや蛋白質や脂肪やビタミンが一定の数値になりさえすればよいのでしょうか。

正しい料理法とはパックに詰まったものや缶詰や配達された食べものを器に盛り合わせるだけのことなのでしょうか。

正しい食べ方とは犬のような姿勢で好きなものだけ飲みくだして、気に入らなければ食べ残して捨てたり持ち帰ったりすることなのでしょうか。

現代の学校給食は食の原点に戻って、正しい食べものとは何か、食べものの正しいとり合わせとはどういうことか、正しい料理法とはどういう料理法か、正しい食べ方とはどういう方法かということの再認識と実践法の再検討を必要としているようです。ただ単に有害食品だとか、有害添加物が使用されてるからとか、発ガン性物質を含んでるからとかいう単発的な指摘と改善ではなく、〝健康な血液〟のための給食として根本的な取り組み方をしなくては、学校給食が目的としている教育的効果は期待できないのではないでしょうか。

最近は自然食ブームです。加工食品はどうも感心できないとなると、それでは自然食品ならいいのだろうと、何でもかでも自然食という感じです。複雑に加工された食べものよりは自然の食べものの方がよい場合は多くても、自然食でありさえすればよいというわけにはいきません。自然食なら自然だから身体によいという判断は正しくありません。私が玄米食なのを自然食と受けとって、肉や魚や卵や牛乳などを、これはとりたての新鮮な自然食だからと持ってきてくれる人がよくあります。生であれば自然だとか、原形や原形質が残っていれば自然食であるかのように解釈している人が多いようです。自然状態のものであれば何でもいいとか、生でありさえすれば自然だというものではありません。

また、自然食とは古代食とか原始時代的な食のことをいうのでもないはずです。本当の自然食というのは、自然の法則と食べものの秩序に則った正しい食べものを正しいとり合わせで、正しい料理法で正しく食すという一連の食事法を総称した表現のはずです。簡単にいうなら〝健康な血液〟のための食べものです。

〝健康な血液〟づくりという原点からはじまらない限り、学校給食の現状の欠陥を解決できそうには思えません。このためには学童の保護者自身の食べものと食事に対する取り組み方を変えなくてはならないでしょう。インスタント食や外食や、ひどいのになるとお金だけ渡して好きなものを食べなさい、月謝を払ってあるのだから学習塾へ行ってきなさい式の生活では済まされなくなります。何でもお金と他人まかせで、わが子の健康な血液はつくれるのではなく、健康な血液がつくれなければどんなにお金をかけても頭をよくすることは不可能なメカニズムになっているのです。

都会の学校と農村の学校とが姉妹校となって、都会の子は田植えや野菜づくりなどの農作業を農村の学校で実習し、自分達の手で正しくつくった農作物を調理人や母親たちが料理して給食にする。農村の学校の学童たちの家庭で生産される新鮮な農産物を、都会の学校や学童の家庭の食べものとする、こういうふうにして中間の流通経費や加工経費や不自然な強制栽培による供給などの不合理や不経済を是正したいものです。

〝健康な血液〟の観点に立つと、できるかぎり自給自足的な生活が望ましく、不自然・非自然の農法での見せかけだけの食べものでは健康な血液は絶対につくり出せるものではなく、本能のくもりもくるいもとりのぞくことはできそうもありません。

本能にくもりとくるいが少なければ少ないほど、子供達は不自然な不純な飲食物を欲しがらなくなることを私は経験しました。本能がくもって、くるってくると、不自然なものを平気で摂取するばかりではなく邪食の誘惑に乗りやすくなるのでした。不自然なものや邪食が多くなると、本能のくもりとくるいはますます大きくなって、正しい判断がきかなくなって、さらに不自然で悪い方向へ進んでゆきます。インチキ食品やニセモノ食品や有害食品が氾濫し通用するというのはその利用者が多いということであり、それだけ日本人の体質や頭脳の程度が低下し悪化していることを物語るバロメーターです。

青少年の身体が蝕まれ不可解な非行現象が多発するのは、〝健康な血液〟の思想と生活法が失われたことに大きく比例しているのではないでしょうか。学校給食が日本の食のあり方の原点に戻って改善されることを私は熱望してやみません。

変化する家庭生活

怪我と食養療法

二男が小学校五年の時のことでした。体操の時間のサッカー中に、二男は勢いあまって鉄柱に顔面衝突して気を失ってしまいました。額の左から左目にかけて裂傷を負って大量の出血となり、顔面がみるみるうちに大きく腫れあがってしまいました。保健室に運ばれて応急の手当てはしたものの、学校ではそれ以上の治療はできません。保健の先生は救急車を呼んで外科病院へ連れていこうとしました。

この時担任の先生は、私の家が玄米食なのを知っていますのでどうしたものかと、病院へ連れていく前に電話で知らせてくれました。私は不在でしたが、妻は食養手当ての材料を急ごしらえして学校へ駆けつけました。病院へかつぎこまれれば傷の手当てのほかに必ず注射や薬を与えるのは明らかです。私達は、注射や薬の世話にならないことを生活法としているので、ちょっとしたことですぐに注射や薬を用いる医者や病院が恐くてなりません。痛がれば鎮痛剤を、傷と傷口の汚れの程度によっては化膿を予防するためにと抗生物質を、それに傷が骨にまで至っていないかどうかを検べるにはレントゲン撮影をしないとも限りません。心配しだせば、脳波も検べておきましょう、あれも検査しておきましょうと、病院は病院なりの立場で患者への責任を果たそうとすることになります。病院へ行きながら、自分の好みの検査や手当てだけをしてもらうなどということはできません。病院にかかるならかかるだけの心構えがなければならないし、その世話にならないのならそれなりの心構えと処置をしなければならないわけです。

二男は顔相が変形するほどの怪我になっていましたが、妻は保健室で応急の手当てをすると家へ連れて帰りました。裂傷は血液が不健康に汚濁していなければ化膿するはずはありません し、打撲で骨を傷めていたとしても血液が正常でありさえすれば安静にしておけば自然治癒力によって正常に修復されるはずです。

妻は傷口の手当てと打撲の手当てをして、あとは静かに寝かせつけました。打撲の手当てとしては食養療法には里芋パスターという素晴らしい手当法があります。これを三、四時間ごとに貼り替えて、翌朝には傷も腫れもほとんど回復して、二男は普通に登校です。学校では担任の先生も友達もみなビックリです。あれほどの怪我だったので、少なくとも二、三日は登校できないだろうと思っていたようです。私達は二男を無理やり登校させたわけではありません。本人の意志で登校したのでした。

三男が二歳の正月のことです。元旦の朝、私達は家族揃って新年の祝いの食事にお屠蘇《とそ》とお酒を飲みました。お酒は私と父が飲むのですが、賑やかさに面白がって、三男にもかなり飲ませてしまいました。元旦の朝ですから食事が済めば、あとはテレビを見るか新聞を読むか年賀状の配達されるのを待つくらいで、私は朝酒に軽く酔って炬燵で寝こんでしまいました。正午すぎのことです。台所でギャーという叫び声と、二女のワァーンというはげしい泣き声に叩き起こされました。行って見ると、台所がもうもうと蒸気で煙っていて、三男が倒れているのです。二女が煮たったヤカンを煉炭コンロからおろして餅を焼こうとしたところへ、まだ酒気が残って足元のふらつく三男がヤカンにつまづいてひっくり返して倒れたのでした。三男は左肩から左腕に熱湯を浴びての悲鳴だったのです。妻は洗面器に水を汲んで少量の塩を入れ、私は熱湯を浴びた衣服をぬがせにかかりました。しかし下着は肌に焼きついてしまっていて、ハサミで切りながら剥がすうちにズルズルと左腕一面の皮膚が下着と一緒に剥《は》げむけてしまいました。赤く爛れた肉があらわになって、三男は悲鳴をあげています。その腕を洗面器の薄い塩分を含んだ水に漬けると、そのトタンに悲鳴はやんで、三、四分すると三男は腕を水に漬けたまま母親のひざの上でスヤスヤと眠り出しました。しばらくの間そっとそのままにしてから、私はこのような時のために備えておいた柿渋液でヤケド部分を塗り、さらにガーゼにも浸して腕をすっかり包みこんでしまいました。

その後はガーゼの取り替えもせず包帯をしたまま、四、五日たつとかゆがりはじめ、約二週間で包帯がはずれました。ヤケドの跡はすっかりきれいに回復しています。この間私達は三男の食事は、水分を少量にして、玄米食の基本を守っただけでした。病院へかつぎこめばもっと複雑多様な治療をしたに違いありません。しかも包帯を替えたり薬を塗ったりするために幾度か通院せねばならないはずです。それを私達は一回の手当てと、毎日の飲食を注意しただけで、ヤケドする前と同じようにきれいに回復することができたのです。

渋柿は独特の臭いがありますが、昔からヤケドの特効薬とされています。焼けた肌を冷やして保護するばかりではなく、薄い層となって外気と傷害部がへだてられて細菌による化膿を防ぐ役割を果たします。健康な血液さえ送っていれば傷は内部からグングン回復する道理になっているのがよくわかりました。

玄米食をしながら食養療法を学んでいたおかげで、私達は身近な病気や怪我は非常に簡単に治療することができるようになりました。本能にくもりやくるいがなければ、人間は本来、病気になったり怪我や災難に遭うことはないと昔の聖賢の教えにあります。しかし、現実には理想的な健康状態を維持しきれないため、思わぬ災難や不幸に遭遇させられるようです。

昭和五一年の春のことです。私は例年の通り仲のよい友人と八方尾根スキー場へスキーに行きました。スキーはもう二〇年あまり毎年やっており、このスキー場も幾度も滑っているスキー場であり、二〇年来の仲間達との気楽なスキーなので、無意識のうちに気がゆるんでいたようでした。さらに、この頃は体調も大変よく、ホテルでの食事にも注意はしていたものの、ついつい飲食が乱れ気味でした。スキー後のビールや酒はなかなかうまいし、つい飲み過ごしていたのです。好天に恵まれたゲレンデではのども渇き、ふだんなら飲まない清涼飲料を、運動で汗をかいたので少しくらいはよいだろうと飲んだりしたのです。のどが乾いたのなら水かお茶で十分なのに、つい仲間と一緒になって飲んだものです。気がゆるんで緊張感が欠けているところへ、さらに神経を弛緩させる飲料を摂ったのですから、心身ともにたるんだ状態になってしまいます。

滑り馴れたコースに飽きて、新雪の斜面を滑ろうということになりました。第一走者が滑ったとおり続けばよかったのに、緊張感を欠いた状態の私は途中からコースを変えて滑降するうちに、スピードを制御しきれなくなってしまい、危険標識の出ている深い沢へ直角に突入して、沢の底にたたきつけられてしまいました。しばらくはどうなったのかわかりませんでした。大きく投げ飛ばされた瞬間、スキーの先がへんな角度で雪に突きささったので、アッ！　このままでは背骨が折れてしまうかもしれないと思ったものでした。しかしそれは瞬時のこと、私はしばらく身動きできず沢から這い出たものの、三〇分間ほど雪の上に倒れたままです。背中から腰をひどく傷めた感じはしました。しかしそれ以上のことはわかりません。仲間の手を借りて立ち上がってみたものの、油汗が出てきて長く立っていられません。

その後は、スノーボードを呼んでもらって下山し、自動車に横になったままの帰宅でした。家に帰って横になったら、それからはもう自分一人では動くことができなくなってしまいました。背中から腰一帯の筋肉が硬直して突っ張り合ったような痛さで、自分の意志で動けません。この痛みは食養療法の生姜シップと里芋パスターをすると不思議なほど和らぎました。三日たちました。ガスを出したくなり便意も感じるのですが、どうしてもガスも排便もありません。それが苦痛になってきました。

四日目になってお腹がどうにも苦痛となり、友人の手を借りて接骨を得意とする整形外科医院に行って診てもらうことになりました。医師は私の背骨を触診しただけで簡単に背骨の折れているのことを指摘し、そのまま絶対安静の入院です。第十二胸椎複雑圧迫骨折でした。ひょっとした動作のキッカケで脊髄を傷めたり神経をかんでしまったら、下半身不随や内臓機能が作動しなくなる危険症状であり、正常に回復できるか後遺症が出るか何とも責任を持ちきれないという医師の診断です。

病院のベッドに仰むけに横になったまま私はどうにも動くことができなくなってしまいました。このままでは痛み止めや内臓の機能促進や保護のために何種類かの注射や薬が日課となりそうです。食事も病院の給食となります。三カ月は入院治療が絶対必要という宣告です。三カ月もの間、注射や薬を用いられるのは、今の私にとってはたまらなく不本意なことです。自宅で食養療法による手当てをしていた時には和らいでいた苦痛が、病院での化学剤での冷たい湿布に代わったとたん、ほとんど軽減しなくなってしまいました。苦痛を訴えれば鎮痛剤の注射となることでしょう。鎮痛剤ばかりではなく、体力をつけるための栄養剤の注射も日課に入っているのです。

「先生、痛くても我慢しますから、注射だけはカンベンして下さい。注射をするとなると私は見ただけで心臓が止まってしまうような気がして、ショック死するのではないかと、そんな気がしてならないのです」私はそういって注射をいっさい断ったのでした。

「注射しないと治りがおそくなってしまうんですけどね」と医者はへんな表情をしました。

「少しくらい治りがおそくても結構です。ショック死になったら一巻のおしまいですから、それを思えば少しくらいおそくなっても我慢します」

私は注射を断り、調合されて配られる内服薬は服用したことにして妻に家へ持ち帰らせました。そして家からは玄米のおむすびをこしらえてきてもらって、こっそりとしかし真剣な玄米食です。病院の食事は妻が食べたり持ち帰ったりしました。私にしてみれば、薬で治すか玄米食の血液で治すかの勝負です。薬を用いなくても血液は薬以上の働きをしてくれると信じています。自分の血液で自分の身体を治せないなら、そんな身体は所詮役立たずの身体です。そのためにかりに不具になったら、その時はあきらめるしかないと、私は覚悟しました。

私の血液は、誰よりも彼よりも、何ものよりも、私の身体を守ってくれるはずです。その血液の力不足だったら、もうあきらめるしかありません。ただ、そのためには、できるかぎり最良の血液を保持するように心掛けなくてはいけないと考えて、食べものは玄米と少量の野菜類と海草類、少量のごまと梅干しと、飲みものは番茶と、そして正しい姿勢での絶対安静と穏やかな気分にと、ただそれだけに専念です。こうなっては治療が仕事ですから、玄米おむすびも一段と熱心にかむことができます。玄米のおかげで便通は再び快調になりました。こうして一週間ほど経ちました。骨折部と腰の苦痛はなかなか軽くなりません。病院での手当ては先生の触診と湿布の貼り替えと、私が断らなければ注射と薬と、朝夕の検温です。私は病院での冷たい湿布の代わりに、どうしても食養療法の生姜シップと里芋パスターをしたくてなりませんでした。病院の先生の目の前では、この非科学的に見える手当ては、申し出てみたものの認めてもらえませんでした。現在用いられている化学的湿布剤は過去の体験の積み重ねに科学的研究を重ねて製造されたものであるから、民間療法的な要素を卒業したはるかに優秀な医療剤という見解です。

しかし私にしてみると、注射薬でも内服薬でも、痛いといえば鎮痛剤を、熱が高いといえば解熱剤を、血圧が高いといえば血圧降下剤を、糖尿にはインシュリンをというように、現代の医療は目の前の現象を一時的に消すだけの対症療法に考えられてなりません。湿布でも同じことです。ところが食養療法における湿布は肉体生理の秩序回復を目的としています。傷害部や病症部は新陳代謝機能が低下してるのだから、その一帯に停滞した汚血や老廃物、毒素を生姜シップによって血行を促しつつ結集させ、それを里芋パスターによって皮膚を通して吸出し血液を浄化する。そして浄化された血液で傷害部や病症部を治療する。私にはこの手当法の方がどうしても道理にかなっていると考えられてなりません。ですから同じ目的の湿布であるのなら食養療法の方が身体のためにはよいはずです。

すべての治療を血液にゆだねる、私はこの考え方に立って、自分の血液で解決できない病状だったり災難だったら、その時は寿命、運命とあきらめるしかありません。それには健全な血液づくりのためのできるかぎりの努力をせねばなりませんが、本人の血液そっちのけで注射や薬や光線や、切ったり貼ったり交換という治療法は生ける屍で息をしているだけにすぎず、私には納得しきれないのです。自分の血液に生き続けるだけの生命力が失くなってしまったら、その時は寿命です。

入院して一週間たちました。病院での治療法もほぼわかったし、何よりも不都合は、病院では仕事の連絡や打ち合せが思うようにできず、会社の業務に支障が出はじめてきました。そこで私は自宅治療を願い出ました。医者はとんでもないことだと許可してくれません。入院していても完治するかどうか保証できない症状なのに、自宅で治療するなど無謀すぎるというのです。

「自分の身体が大切か、会社の仕事が大切か、考えるまでもないことです。大丈夫という見通しがつくまで入院していなくてはいけません」と先生はなかなかウンとはいいません。

「自宅でも、先生の注意は絶対に守ります。身体が大切なことはいうまでもありませんが、突然の怪我で、仕事をこのまま放ったらかしにしておくわけにもいかないのです」

「絶対に守ると約束したって、私の目の届かないところでは責任を持てません。あとで下半身が不随となってしまったり、大便小便のタレ流し状態になってしまっても、そうなってしまってからではどうにもならないことですからね。この症状では、そうなる可能性の方が多いのです。それでもよいというなら一筆誓約書にサインしてから退院してもらうしかありません」

私は誓約書にサインしました。軟骨がへんなふうに発達したり、その間に神経をへんなふうにかみつけてしまったり、骨折部が脊髄に触れるようなことになったら、それからでは手後れなことはよくわかります。先生は回復途上の変化を多年の体験や研究によって検診しながら治療するのですから、入院していてたいしたことをしてないように見えても、実は素人にはわからない大きな務めを果たしているのです。先生のいうことはもっともなことなのです。私に病症部の日々の変化がわかるはずはありません。

私はただ、正常な健全な血液は人間の知識や技術以上の自然治癒力を発揮してくれる。それを信じるしかないのです。良い結果を得られる確立が低ければ低いほど、人知の技術に期待するよりも、血液の神性にゆだねたいと考えました。妻は私が退院するといい出したので心配になり、食養療法の第一人者である大森英桜先生に相談しました。大森先生の見解は私と全く同じでした。私はどんなにか心強く思ったかしれませんでした。

病院の先生は退院には賛成でないものの、治療と養生に都合よいような背骨を固定して保護するギプスをつくってくれました。そして私は入院して十日目に自宅へ戻ったのです。背から腰全体は依然として激痛があり、支えられずに立つことはできても足の自由はきかないし、呼吸も浅くしかできない状態でした。

さて家へ帰ってからは食養療法によるシップと食事療法に専念です。生姜シップと里芋パスターをすると、緊張して萎縮していた筋肉や神経が息つくようにほぐれてくるのがよくわかりました。痛みが吸い出されるようにぐんぐん軽減していくのがよくわかるのです。内臓の緊張もほぐれてくるのがわかります。そして驚いたことにガスが次から次と、とめどなく出るようになったのです。私の細い腹のどこから、これほどの沢山のガスが発生するのかとまったく不思議なほど、それは沢山のガスが休みなく出るのでした。しかもそれが幾日も続いたものです。

私は首の下から尾骶骨までの背骨を、生姜シップしては里芋パスターを貼り続けました。三、四日すると湿布した部分が黒紫色になってきました。こんなにも血液が汚れていたのだろうか、あるいは内出血しているのだろうかと疑わしくなるほど墨のような汚れが背中一面に浮き出てきたのです。ガスがよく出て、胃腸が活発に動くのがよくわかります。里芋パスターをすると痛みはほとんど感じません。食事の面では玄米を一口一口よくかみ、少量の根菜類に海草類、特にタンポポの根をきんぴらのようにして副食とし、里芋パスターと玄米正食に専念です。タンポポの根にはカルシウムをはじめ骨成分が多く、毎日少量でよいから食べるようにと大森先生の処方でした。タンポポの盛りの時期でもあり大変ありがたく重宝させてもらいました。

毎日、里芋パスターをしてみて、背骨が回復する以上に、私は弱まっていた胃腸をはじめとして内臓全体の諸機能がどんどん回復するのがわかりました。怪我の功名です。私にとって、この大怪我をしなければ、永年持ち続けてきた種々の業病や虚弱体質を改善するキッカケがなかったのに違いありません。内臓機能の衰弱がそのまま背骨のもろさになっていたことがわかりました。ですから、怪我や病気は偶然の災難不幸ではなく必然の結果だったのです。

こうして私は三週間ほどせっせと湿布とパスターを続けました。だんだんと自力で静かに動くこともできるようになりました。そして二カ月ほどして会社へも出られるようになったのです。最初のうちは長時間起き続けてはいられませんでしたが一日一日と回復して、特別の後遺症も出ずに済んだのは大変幸いだったわけです。

その後、私は定期的に病院へ行き、回復の状況を先生に診てもらい、接骨医にも行って回復のためのマッサージやトレーニング的な手当てをしているうちに、私と同じような怪我をした沢山の患者と知り合いになりました。スキーで怪我をした人、他のスポーツで怪我をした人、交通事故で怪我をした人、普通に生活していて椎間板ヘルニヤやギックリ腰になってしまった人などさまざまですが、椎間板ヘルニアなどでも手術によって半身不随になったり、手足にシビレが出たり……、後遺症なく治ったという例は非常に少ないようでした。特に背骨に関係する手術は二、三年はどうにか過ごせても、その後になると手術をした九七・八%は手術前よりも悪い症状や後遺症が出てきて、医者や接骨指圧師にかかりっぱなしという例ばかりでした。そうなると再度の手術をするとか、痛みをおさえるだけの注射や薬を常用するか、そのどちらかしかないとのことです。時と場合によっては手術も注射も薬も必要ですが、安直に対症療法で処置する危険を痛感するのです。

子供達の怪我といい、私自身の大怪我といい、怪我以外のさまざまな病気にせよ、それらはどれも運悪く遭遇したのではなく、わが家や私の生活の間違いのひとつの清算だったのです。

怪我や病気や事故が生活の間違いの警告であり、よくするための現象のひとつとわかれば、これまでの生活の間違いを正すのが最良の治療法のはずです。生活のどの点が一番間違いやすいかとなると、どうしても日々の飲食ということになります。よいと思っていた飲食が実は自分勝手な偏食であったというのが実情です。偏食であれば血液も偏ったものになりやすいし、人体生理も円滑にいかなくなるはずです。日々の飲食を正しくする、それもただ単にこれが正しいだろうという個人的な判断によるのではなく、自然の摂理、宇宙の法則に則った正しい食事の重要性がますます痛感されたのです。

それと私は、この背骨の怪我のおかげで、万病に役立つ治療法を知りました。それは背骨全体への生姜シップと里芋パスターによる手当てです。これは手間と時間のかかるめんどうな手当法には違いありませんが、急性、慢性を問わず、また体質改善の促進に、これほど無難で効験著しい手当法は他に例を見られないのではないかと思います。これの作り方、用い方の詳細は『一慧の穀菜食BOOK&手当法』(大森一慧著　宇宙法則研究会)、『食養手当て法』(鈴木英鷹著　清風堂)などに示されています。

現代医療と食養療法

生兵法はケガのもと、素人療法は大病のもととかいわれています。たしかにそれはその通りで、素人が専門家にかなうものではありません。素人考えで専門家の真似をしても、そううまくいくものではないし、危険なことも事実です。ですから私は非常に素直に、何事も医者や病院のお世話になったのです。ところがすでに書いた通り、長女は信頼していた現代医療に見離され、私の慢性的病気は少しもよくならず、窮余のドタン場で玄米食による食事療法でともに生命を甦らせてもらえたのでした。こうなると、病気や身体のことは何でも医者へ病院へというのは看板に偽りがあるのではないかと考えられてきます。

第一に、現代医学と医療は日進月歩で進歩しているといわれながら、病気や病人が一向に減少しないのは大いに不思議です。医療技術も特効薬も大進歩し、医薬品の輸入も生産も使用量も年々増大し続けているのに、国民医療費も病気や病人も比例して増大しているのは、何としても不可解な事実です。日本人の人口の自然増に比例した程度の増加ならわからないでもありませんが、自然増比など問題にならない増加率ですから私は不思議でなりません。

第二に、現代の医者も病院も、患者やその家族に適切な治療法を教えません。教えないどころか、ちょっとでもしつこい質問をすると不機嫌になります。病気や身体の問題は医者や病院へまかせておけといわんばかりです。うかつに質問すると、医者や病院を信用しないのかといわんばかりの表情に急変する医師や病院が多いのは、何とも不思議です。患者に参考となる治療上の問題を指摘し教え、二度と同じような病気にかからぬように患者を利口にするのも医療の任務のひとつのはずです。それを、患者にはなるべく何事も知らしめないようにしているとしか思えない医療態度は看板に偽りありのひとつです。もちろん、患者が気の済むように親切に説明し教えたところで、それで病気が治るとは必ずしもいえません。素人療法をされたら治しにくくなるので、余分な会話や対話は、なるべく避けるようにならざるを得ないのかもしれません。

それで治療効果が上がっているのなら結構ですが、患者に親切でないわりには効果も上がっていないのは不思議です。知らしむべからず、治すべからずが現代医療の方針なのか、それとも、知らせられず、治せられずが本心なのか、それとも、病気になるような人間は苦しめ困らせよの慈悲の精神を遵守しているのか、私は不思議でなりません。

第三に、医者自身が他の医者にかかったり、一般の患者と同じ病気で苦しんだり死んだり、ストレス解消のため健康保持のためといってゴルフをしたり高級乗用車を乗りまわしたり、政治活動や選挙運動に熱心だったり、高額所得番付の大半を占めたり、これらはどう考えても不思議なことです。私には、医者は自分の身体のことは自分で診断でき、ゴルフや特殊なスポーツをしなくても高級車に乗らなくても健康管理は十分にでき、死ぬとしたら天寿を全うする自然死で、生活するに十分な所得さえあれば悠々自適の人生を送れる仁術者であるはずなので、なぜ政治制度や医療行政まで手中に収めたがるのかと不思議でなりません。弱き悩める病人の生命を救ってやろうという誇り高き人にしては、看板に偽りがあるように思えてなりません。

医者の看板に偽りがあるのか、それとも別な原因や理由があるのか、私は現代医療に非常に関心をひかれるのです。あの人がガンで亡くなった、誰々さんもガンで死んだ、しばらく顔を見ないと思ったらガンで入院だとか、現在は日本国内だけで毎日四、五分間に一人の割合でガンで死亡する人が出ています。そうかと思うと、あの人が脳溢血で死んだとか、あの家もこちらの家も年寄りが恍惚の人になって手こずっているとか、つい先日まで動き廻っていた働き盛りの壮年者が心不全でポックリ死んだとか、まるで死の競争のような毎日です。

これらの人達はみな医者や病院や薬のお世話になっているのです。私には、医者になっている友人が幾人もあり、その他にも何人もの懇意にしている医師を知っています。そうした医者をよく見ていると、彼らはみな一所懸命に患者のために尽くしています。何とか患者の病気を早く治そう、苦しみを軽くしようと最善の努力を尽くしているのです。休む間もなく診察したり手術したり、重労働なのがよくわかります。わがままで自分勝手な患者を相手に、なだめたりすかしたり勇気づけたりしながら治療に尽くしているのです。医者の中には世間で非難されるような金儲け本位の人もありますが、ほとんどの医者はみな真面目にその任務を果たそうとしています。にもかかわらず、病気も病人も減少しない、こうなると医者や病院が熱心に一所懸命やっているのと医療の効果は別の問題なのかもしれません。そう思わざるを得ません。見当違いや間違ったことをいくら真面目に善意を持って一所懸命やっても、それは正しく任務を果たしていることにはならないのではなかろうか、そう思わざるを得ません。医療事故も多すぎます。

現代医療はどこか間違っているのです。本当に医者の誇りを持つ人であるなら、あれこれと検査に次ぐ検査をしたり、身体がムクれあがるほどの注射や浴びるほどの内服薬を与えたり、ちょっとむずかしいとなると大学病院や他の病院へタライ廻ししたり、病棟を絶えず患者で満杯にしておいたり、内臓を切ったり貼ったり交換したりするのは、実は恥ずかしくて恥ずかしくてならないはずです。患者に接しただけで病気の状態や病勢が診断できて、手当てや治療法を大騒ぎせず施せるのでないなら、本当に医者と自称してよいのかどうか疑問です。

真に立派な医者は、真《まこと》の医療や医術がどういうものかよくわかっているはずです。現代医療が額面通りの効果を上げられないのは、真の医療と医術が採用されていないため、真の医療と医術がどういうものかを知る医者も病院も国民大衆も少なくなって、医療自体のレベルが低下してしまったと私には考えられてなりません。

かかりつけの病院や専任の懇意の医者があるということは、年がら年中病院通いや注射や薬の世話になっているということです。病院や医者や注射や薬の世話になり続ける限り、これらと縁の切れないのは当然です。ということは、健康になれないということでもあるわけです。わが家は玄米食になって食事の重要性に気づいて、医者や薬と縁を断ったら、医者や病院へ行くことも注射にも縁が無くなりました。

医者や薬の世話になっていたら病気がちで、医者や薬の世話になるのを断ったら健康になった、これは重大なことです。一般常識では、医者や薬の世話になっているおかげで病気などならず元気でいられる、医者や薬を無視しているために病気になると考えがちです。ところが私とわが家の場合、実情はまったく反対です。こうなると一般常識も大きな間違いのあることがわかってきました。

私は「食べもので病気は治せる」の一点で医者や薬との縁を断てたのでした。食べものの中でも玄米食を選ぶことによって、永年お世話になってきた医者や薬との縁がなくなったのです。医者や製薬会社が私を上得意のお客さんと見なしていたとすると、食べものと玄米食は客を奪った仇敵です。玄米食や食べものの重要さの話となると医者や薬屋がいやな顔をする意味がよくわかってきました。

医者も製薬会社も玄米食が身体に大変よいこと、食べものは薬以上に重要なことをよく知っているはずです。健康のためにはよいことでも、それをその通り行えないし、行わしめないところに現代社会の複雑怪奇な事情があるのです。

社会事情はともかくとして、現代科学の粋を結集した現代医療がその効果を実証できないのはなぜか。現代医療とは関係のない野暮ったい玄米食で私も娘も家族も健康でいられるのはなぜなのか、どこに違いがあるのでしょう。

この両者の最大の相違点は生命観にあることがわかりました。現代科学医療（西洋医学）は生命を診ずに病気や病巣そのものを主眼に置いています。食養療法（正食医学・東洋医学・漢方医学）は病気や病巣よりも生命そのものを主眼にしています。すなわち、前者は生命と生命現象を停滞したモノと解釈しており、後者は流れるイノチと解釈している、これが大きな違いなのでした。

科学とは生命を裁断することだったのです。裁断に裁断を重ね、分析に分析を重ね、生命を物質化するための学問なのです。それに立脚する現代医療は人間でも病気でも物質として扱うのが当然です。栄養に関してがまったくよい例です。蛋白質を何グラムとか、脂肪や炭水化物を何グラムとか、分化したものを寄せ合わせて一体の栄養とするのが現代科学的栄養学です。

これに反して食養療法（東洋医学）は、生物の生命をも宇宙生命と一体の流れとし、人間の生命であれば宇宙生命の流れと一体化する血液にすることを主眼としているのです。食べものについても食は生命なりとする栄養観です。一物全体をよしとしています。

このように考察すると、現代医療とは生命と生命力を裁断して治療しようとする方法、食養療法は生命と生命力を補完して治療する方法であると考えざるを得ません。

これを薬について考えるとよくわかります。食べものや漢方薬は効きはゆるやかですが副作用も少ない。補完の役割を果たすだけです。現代の化学合成薬剤は効きは速いが副作用が大きい。補完の役割を果たすだけではなく他の機能（生命力）を裁断しがちです。患部を治療しながら全体を裁断してしまいかねません。私は食養療法には現代医療に欠けている非常に有効なよい面を種々認識することができるようになりました。現代医療に対する疑問も、食養療法を体験したことによって氷解してきました。食養療法と現代医療と相補して一体化すべき医療体制なり、制度となるのが理想的なのでしょう。しかし、よって立つ原点がまったく違うので、どこまで正しい接点と認識が得られるか、そこが難しいところです。

お腹に何を詰めるかが問題

健康を医療だけに頼っていたことが私の間違いでした。もちろん、健康のための適度の運動とか栄養とか生活法とか、それらに関心を持ち努力してはいましたが、基本的には健康と病気は医学と医療に頼ったのです。そのように教育されていました。その医学と医療、すなわち現代医療に重大な欠陥があろうなどということは素人にわかるはずがありません。現代医療には生命観がないことを、医学者や医者自身でさえ正しく認識している人は少ないのでした。生命観が正しく認識されているなら、東洋医学（漢方医学）や食養療法の採用がもっと早く必死に求められ、実施されるはずです。現代医学（西洋医学）はこれを排斥しているのですから、このことは生命観を正しく認識していないことの証明になります。わが国の医学界の排他性が病気や病人が一向に減少しない大きな原因の一つになっており、国民の一般的常識を非常に歪めているのではないでしょうか。

私は玄米を食べてみて、はじめて食べものの生命を頂くという思想を学びました。日本人で日本に生活するのなら、お米の生命を頂くこと、これが最も自然な生活法であることが玄米を食べてみてはじめて理解できるのでした。お米の生命を頂くためには、玄米食かそれに準ずる米の食べ方をするのが正しく、この点を理解できるかどうかが生命観の分岐点だったのです。

健康な血液のための配慮、血液への思いやり、私はこれが生命観の基本ではないかと思っています。血液のためには何をどうするのが一番よいか。血液の生命力と人間の生命力とは正比例しています。血液の生命力が高まる生活をする、飲食をする、手当てをする、私は玄米食をして血液中心の思考ができるようになってきました。それまでの思考や判断の基準は知識中心、知識主導でした。知識中心だと病気には注射をしたり薬を飲んだり手術したりするのが賢明だと考えてしまいます。血液中心だとそれらは一時的には局部には役に立つかもしれませんが異物であることには変わりません。異物でなく血液のために役立つものは何かとなれば、食べものによって自力でつくり出す血液が最も自然です。

血液の生命力を正常にし、高めるのでないなら、いかなる方法が施されても、それらは一時しのぎの虚栄の手段と処置に過ぎないでしょう。現代医療による一時しのぎは、いくら繰り返しても根本的な解決法ではなく、施療のほどには効果のないもの、ムダの繰り返しに過ぎないわけです。

子供達が幼稚園、小学校、中学校へと進学するにつれて、私は運動会や遠足や学芸会などへ参加する機会が出てきました。都合がつきさえすれば、できるかぎり参加してみました。また、電車の中や公園や動物園などで幼児を見かけると、わが子を眺める気持ちで観察するようになりました。運動会をするのも、遠足や旅行をするのも、学芸会などをするのも、これらはみな子供達の心身の健全な育成のための学校や親達の思いやりです。ところがこれらの機会に行われている実態はどうでしょう。健全な血液のための配慮はゼロ状態です。

ゼロ状態どころか、血液を悪化させるための行事になりきっているではありませんか。血液を汚濁したり薄弱にする飲食物や、有害食品の氾濫です。親はこの際とばかり子供の喜ぶ飲食品類を与えています。例えば飲みものはコーラ、ジュース、アイスクリームなどを、食べものはチョコレートやガム、キャラメル、砂糖や甘味料や添加物でタップリ加工された菓子類、スナック食品、デパートやスーパーやコンビニ店から買ってきた寿司やおむすびやサンドイッチや折詰弁当など、有害食品オンパレードです。これらの飲食物によってこの子らの血液がどうなるかを考えれば、絶対に食べさせられない飲食物の自由解禁です。

私は驚くと同時に恐ろしくてなりません。飲食物がこの状態では教育的効果があがるはずはありません。これでは子供をダメにするための運動会、遠足、旅行、学芸会といっても過言ではないでしょう。清涼飲料類の代わりになぜ水筒に入れた水にしないのでしょう。なぜ各家庭の手づくりのおむすび弁当だけに制限しないのでしょう。有害食品と指摘されているような食品を、なぜ四六時中口に入れさせなければならないのでしょう。このような行事の時こそ、子供達に厳しい生活体験をさせた方がよいのに、なぜそうしないのでしょう。

私には、現代の教育も看板に偽りがあると思えてきました。願いはすべて善意なのに、実態は子供を悪くするような教育が平然と進行しているのです。なぜこのようなことになったのか、なぜこのようになっているのか不思議でたまりません。先生も親も、みな熱心に子供を健康に幸福にしたいと願って努力しながら、実際に行われていることは子供をダメにすることが多いのです。どこに欠陥があるのでしょう? 子供の心身を蝕んでいる根本的原因は何なのでしょう?

こう考えてきて私は、血液生命観の欠如が最大の欠陥と思い当たるのでした。血液そのものと血液の生命力を最も左右する食べものの思想と哲学が現代社会に欠けている。ここに間違いの根源を見るのです。食べものの秩序、正しい食べものの思想と哲学、このことを現代の教育は見落としているか省いています。それは家庭で行うべきことであるというのかもしれませんが、家庭の大人達が最も大切な血液についての教育を受けていないのが実情です。

正しい食べものを、正しい取り合せで、正しい料理法で、正しい食べ方で食す、たったこれだけのことさえ私は教えられた記憶がありません。日本人が日本という風土で生活するのに最も基本となる学習を、現代人はどこからも誰からも授けられない状況になっているのです。生命の流れ、流れる生命の生命観がないのです。反対に、生命は物質の寄せ集め、食べものは栄養部品の寄せ集めという考え方があるのみです。ここに白米や白パン、牛乳、肉食を肯定し、玄米を無視する姿勢が出てくるのです。

食は生命であるとする生命観。血液こそ生命のバロメーターであるとする生命観。教育が看板に偽りない効果をあげるには、食の生命観か血液の生命観かどちらかの正しい認識に戻って再出発する、私にはこう考えられてなりません。

食の生命観をいい、血液の生命観をいいながら、私の子供達の実際はどうか、私はそう思って運動会や遠足や父兄参観などの行事に参加するのです。考えることがいくら理屈や道理にかなっていても、それがその通り実証されるのでなくては、やはり一人よがりの考えにすぎなくなります。それらしい効果が感じとれなくては大騒ぎするほどのことではなくなります。

わが家は玄米食をしている、Aさんの家では現代栄養学一点張りの食事、Bさんの家では世間一般的な食事、Cさんの家ではどちらかというとインスタント食品主体の食事、Dさんの家では外食専門というように、家庭での食事の傾向が子供の生長にどう結びついて現われるかを観察できれば、いかなる食事が子供の生長に最も理想的かを検討するのによい資料となり得るはずです。もちろん、環境も条件も生いたちもすべて異なる資料を一概に比較して参考となるものではありませんが、私は、少なくともわが家は玄米食をしたためにこうなったと、参考資料の一例になればと考えるのです。よかったか悪かったか、これは子供達一人一人が大人になって判断し、評価できるまでは、はっきりした資料とはならないでしょう。その間なるべく間違いのない玄米食法を守るのが私の任務です。

食べものが血液となる。血液が細胞となる。細胞が精子にも卵子にも、筋肉にも骨にも神経にもなり体質となる。こうして食べものが体質となっていることを想う時、私は子供のお腹に日々どんな食べものが詰まっているかが、子供の発育に最も重要なことであると思えてくるのです。腹に何が詰まっているか、これが人間を決める大きな要素と思うのです。

ひよわな子はひよわになる食べものが絶えずお腹に詰められていたはずです。すぐ病気になる子は病気を招く食べものがお腹に詰まっているはずです。わがままな子はわがままになる甘い食べものが絶えずお腹に詰まっていたはずです。気性の荒い子は気性の荒くなる食べものがお腹に詰まっているはずです。

教育効果をあげるためには、子供のお腹に何が詰まっているのが理想的か。私にはお腹に詰まっているもの、お腹に詰めるものによって教育の効果が変わらないはずはないと考えられるのです。お腹の中の環境を整備するのも教育の大きな仕事ではないかと考えるのです。教育の仕事どころか、これこそが人間の基礎なのではないでしょうか。

学校の建物を整備する、教育施設を充実する、教科内容を立派にする、教職員の待遇を改善する、教育制度や行政を改良する等々のことも大切です。現在行われている通り、みな大切なことに違いありません。しかしそれ以前に、子供達のお腹の中に教育環境をつくりあげること、これこそ欠かせない義務教育と考えられてなりません。

お腹の中のことは家庭教育でということであれば、お腹の中の生理と教育の関連についての国民教育が必要となってきます。現代の日本には筋の通った生活法、生活の教育が見当たりません。家庭で行うべき教育の基準、生活の基準も見当たりません。各人各様。自由というか、好き勝手というか、成り行きまかせというか、無秩序が基準となっているとしか思えません。これもまた、現代日本の大人のお腹に詰まっているモノの偽らざる表現のようです。

私は子供達のお腹にお米を詰めておきたいと考えています。それも白米ではなく玄米で。米は日本の風土に最も適した、日本の風土の結晶です。ですから玄米を正しい方法でお腹に詰めておきさえすれば、そうそう欠陥の生じるはずはないと考えるのです。日本の自然を、日本で生活する子供のお腹の自然としておけば、風土と人間とそう違和感の生じるはずはないでしょう。お腹の環境づくりさえしっかりしておけば、あとはそれぞれの子の素質や希望や理想に応じて、その芽を伸ばし成長し花を咲かせ実を結ぶかは子供の生命力次第です。勉強をするしないも本人の意志と意欲次第です。

私自身、お腹に玄米を詰めるようになって、生命現象の流れが自然で快適に感じられるようになりました。便通はよいし、身は軽いし、手足の冷えは消えたし、夏の炎天下から冷房のビルに入ったり出たりしても自律神経失調にならなくなったし、寝つきもよくなったし、よいことばかりです。それが、仕事のつき合いや祝儀弔事などでお腹に詰まる内容が変わると、それなりの感覚や生理作用の変化がわかり、お腹に何を詰めるかが問題であることが痛感されるのです。玄米を詰めているのが一番心地よいのです。

玄米を正しい料理法と食べ方でお腹に詰めておくと、胃腸や内臓が喜んでいるような気がしてなりません。樹木や草花や農作物が地面にしっかり根を張って立ち、美しい緑や花や実をつけるためには、地面の中の目に見えない部分の役割が大切なはずです。化学肥料や農薬が、いかに大地を傷め弱め、作物の質を低下させるか、今日では常識になりました。天地の自然の生命力が樹木や草花や農作物の生命力に正比例することが常識になってきています。大地の中で行われている目に見えない生命の営みと天からの恵みこそが、目に見える生命現象をつかさどっています。

人間のお腹の中と、そこで行われる生命作業がいかに自然と一体となって秩序正しくなされるか、これが人間そのものの表現となるはずです。

大地にしても湖にしても河川でも海でも、過富栄養がいかに生命破壊につながっているか、今日では証明済みです。お腹の中も同じで、お腹の中の自然環境を破壊しておいて、生命力豊かな健康で頭のよい子孫をつくろうとしても道理に合わない無理なことです。体内に不自然な公害的物質が満ちていては、大地である胃腸は破壊されて知育、体育、徳育という花も実も期待通りの収穫にならないことは十分考えられることです。

優れた農業者が土づくりに専念するように、植木でも盆栽でも必要以上の肥料や不自然なモノや技術を施しすぎると失敗するように、私は玄米食生活によって子供のお腹の中の土づくりをしたいのです。他にもいろいろな方法はあるかもしれません。どの方法を選ぶかは個人と各家庭の自由なのかもしれません。ただ、内容のある人間づくりとなると、目に見えないお腹の中が内容あるものでなくてはならない、単に人間の格好をしてるだけではなく内容のある人間にどの子もなってほしい、こう考えられてなりません。

それにしても、国民の健康と幸福に努めねばならない政府が、国民の主食についてのしっかりした見解や政策を持ち合わせているのかいないのか明示しないのは無責任です。憲法では、政府は国民の健康と安全を保証しなければいけないことになっています。現代は国民の空腹を満たしさえすればよい時代ではなくなっているはずです。空腹を満たすのが先決の時代もありました。味覚や好みで満腹にする時代も去りつつあります。一歩一歩憲法の理想とする精神を実現するのがその時代の政府の任務であり義務であれば、現代とこれからの時代はいよいよ健康と平和を確立する時代としなければなりません。

その第一歩として主食のしっかりした取り扱い方に着手してほしいものです。国民のお腹に何をどのように詰めるかの問題を、探究し確立する時代が到来しているのではないでしょうか。

玄米食の家計と経済

わが家の家計は玄米食になって低コストになりました。大きな比率を占めていた医療費はほとんどゼロです。医療費については健康保険制度によって個人の負担は軽減されてはいます。

それでも玄米食になる以前のわが家は、保険を適用されない薬代とか売薬などの出費はかなり多かったのです。それが現在はほとんどゼロです。食費も大違いです。白米や白パンを主食にしている頃は、肉、魚、卵、牛乳、バター、チーズ、果物、化学調味料、白砂糖、それに栄養剤やコーヒーやワインだという嗜好品類への出費が食事の多様化に比例して増加していました。米を精白するという一事で、米の生命力も滋養分もみな失って、それに代わるさまざまの副食物が要求されていました。主食に費す金額よりも副食に費す金額の方が大幅に増大していました。それが玄米食になって副食物への出費はわずかな額で足りています。

玄米食になりたてのうちは、玄米だけで栄養が足りるのだろうかと半信半疑で自信がありませんでしたから、すぐに今までの副食を断てず、即副食費がかからなくなったわけではありません。ところが、玄米食が軌道に乗るにつれて従来の副食費は減少一途です。玄米を主食にして副食は従来通りの肉や卵や牛乳やバター、チーズなどにすれば、玄米菜食よりもはるかに栄養が豊かだから身体によいに違いないと思って試みたこともありました。その結果は過富栄養になってかえって健康のためにならないことがわかりました。玄米食では粗食こそ理想的なのでした。

こうなると高価な副食物はほとんど必要でなくなり、季節ごとの野菜と野草や山菜類、それに海藻類が少量あれば十分足りてしまいます。白米を玄米にしただけで、副食費の支出は大削減です。しかもそれで身体の調子はよく健康が戻ってきたのです。副食品が削減になった代わりにわが家では値段は高くても味よくおいしく、できるかぎり自然農法によるお米を求めています。副食のために費すことに較べれば、味のよいおいしい米の値段など微々たるものです。まして自然農法の米となればおいしいだけではなく、健康のためにも、病気を治す効果も、農薬や化学肥料を用いて栽培された米とでは雲泥の相違です。

主食費は子供が一人増えるたびにその成長に比例して増加していますが、食費全体は、一般家庭に比べて三分の一程度でしょう。九人家族で世間並み以上の生活をしていられるのは玄米食のおかげです。玄米食をしたばかりに、一〇年間に五回も海外旅行をすることもできました。

一九六八年夏、日本CI協会と世界正食協会共催の世界の食養家による第二回精神文化オリンピック大会がパリを中心に西ヨーロッパ各国で開催されました。日本からは高校を卒業したばかりの青年から八〇歳の老人に至る九〇名余の会員が参加し、私も一員として参加しました。当時、私は玄米食になって四年ほどたち、ようやく慣れてきて体調が整いかけてきたところで、まだ健康には自信はありませんでした。

それに、玄米食者が海外旅行するということがどうも不可解でした。外国へ行ってどのように玄米食ができるのだろうか、もし玄米食ができなければ体調が狂ってしまうのではなかろうかと自分の体力と健康に確信ないままに参加したのでした。数日間の国内旅行でさえ玄米食者はすぐ不自由になってしまうのではないかと思うのに、一カ月以上の外国旅行をどのようにして玄米食を続けるのか、私は非常に関心を持ちました。とにかく食養の会で引率するのだから、長期間の旅行でも玄米食ができるよう手配されてるのだろうと思って参加したわけです。イタリア、フランス、スイス、西ドイツ、ベルギー、オランダ、イギリスと私達は旅行したわけですが、どの国へ行っても熱心な食養家や玄米食者がいて、私達の訪問を玄米食と自然食によって歓迎してくれたのです。玄米食堂も自然食品店も純正食品工場もヨーロッパ各地にあって、日本の正食運動よりはるかに熱心で活気があるのでした。

連日早朝から深夜まで非常な強行軍の日程でしたが、不思議なことに、一人として身体の具合の悪い人が出ません。長時間のバス旅行では、バスの運転手を非常に不思議がらせました。今までに世界中の旅行者を乗せて運転したけれど、五、六時間の長距離運転となると必ず大小便や具合が悪くなったりする人が出るものなのに、今回の客は一人としてそのような人がいない、まったく不思議な団体だと大変感心したものです。

私は旅行に参加してみて日が経つにつれて、体調は日に日によくなってくるではありませんか。少食少飲で、しかも身体を早朝から深夜まで非常に動かすのですから、旅行そのものが正食の修行になったのです。家ではつい食べすぎたり飲みすぎたり邪食したり、ダラダラして過ごしてしまうことが多いのに、外国での団体旅行となるとそうは勝手なことができません。少食少飲少眠の実地修行です。このおかげで、私は旅行が終った時は、参加した時よるもはるかに身心の調子はよくなり、玄米食での長期間にわたる外国旅行の要領も学べた上に、桜沢如一氏の思想と哲学による生活法が、日本国内よりも外国で広く活発に実践されていることなどを知ることができたのでした。外国人の方が玄米食を熱心に求めているのも不思議に思ったものです。

一九七〇年の夏から秋にかけて、今度はアメリカ四五日の旅行でした。ヨーロッパ旅行での経験で、二度目は少しの不安も心配もありませんでした。反対に、旅行に出れば規則正しい厳格な生活ができて体調がよくなるので楽しくてなりません。アメリカでも熱心な正食運動家たちが各地で私達を玄米食や自然食によって饗応してくれ、少しの不自由もありません。アメリカ各地や世界各国から集まった正食家たちと一緒にキャンプをしたり、踊ったり歌をうたい合ったり、東西文明に関する勉強会をしたり、それは楽しい旅行でした。あまりの楽しさに私は帰国を一五日間延長して一人で放浪の旅行をしたほどです。

この時、沢山の外国の青年達と友達となり、彼らが日本に来た時、わが家に遊びに来たり、文通を続けたりで、今でも交友関係が続いています。アメリカでは正しい食生活へ復帰しようという関心と運動が日本よりもはるかに強く高まってきているようです。ただ単に痩せたい美しくなりたいという理由で米食にとりつく人も多いのですが、それとは別に動物性食品の害悪が明らかになってきて、食生活を根本的に改善しようとする運動が起きているのです。玄米をブラウンライスと称して、玄米食者がかなりの勢いで増加してきています。

ヨーロッパとアメリカを旅行すると、太りすぎで足腰を弱めている人を沢山見かけます。肉食と白砂糖類の摂取過多で心臓病やリューマチや神経痛などを病んで、自分の身体を自分の足で運びきれなくなっている人が多くなっているのです。

私はこの後、一九七五年の春に二週間ほどインドを、一九七八年春にやはり二週間の中国旅行を、そして一九七九年の夏に二週間のカナダ旅行をすることができました。

玄米食と食養法によって、旅行を楽しく愉快に快適に行える健康法を授けられたおかげです。玄米食と食養法が身についてくるにつれて、玄米食一遍倒でなくても、旅行先の各地の自然食で十分に過ごせるようになりました。このように玄米食と食養法は実にありがたい生活法です。

さて、わが家の家計で医療費と食費以外はそう大幅な変化はありません。医療費と食費の支出が少なくなって家計がいくらかラクになったことにも増して、何よりも家族全員が毎日健康で元気に顔を合わせられるのは金銭に代えられない幸せなことです。

子供達は自転車でどんどんサイクリング旅行をしてきます。テニスや水泳やスキーなども大好きです。白米を玄米にして正しい食生活を心掛けているだけで浪費的な出費がなくなって人生を愉しむ支出ができるようになったのです。

白米を食べるか玄米を食べるか、白パンを食べるか黒パンを食べるか、天然塩か精製塩か、白砂糖か黒砂糖か等々、どちらを選択するかは個人の自由です。選択による恩恵はそれなりの効果となって現われて、それぞれの報いとなってくるので、私がとやかくいう必要はありません。私に他人の自由を侵害したり干渉したり束縛する権利も権限もありません。ですから私は玄米食のよさやメリットについては話せても、玄米食を他人に強制することはできないのです。

わが家が玄米食をはじめた頃、私たちは玄米を自由に簡単に求められませんでした。主食のお米を白米ではなく玄米で食べたいと選択した人に対して、白米を買うのと同じ自由が玄米に対しては用意されていないのでした。

また私達は一所懸命働いて税金を納めています。この税金の多くの部分が国民福祉の名目で病院の建設や医療施設や医療費など、消費的投資に使い果たされています。国民がまことの健康と安心を得られるために税金が使われるならよいですが、その場しのぎの治療や看護体制のためにに投資されるのは、税金の活用とはいえません。病気や不健康になった国民がいつでも自由に利用できる医療体制を整えたとしても、それが国民の健康と自由を守っていることになるのかどうか。自由の恰好を国民は御膳立てされ、その実不自由な軟禁状態に置かれているといえないでもありません。

税金の多くを浪費的なことに使い果たし、自然な日光やきれいな空気や新鮮な水を十分に享受できる生活環境を保全できなくなったら、これは国民の自由と健康を守っているとはいえません。

わが家の経済は玄米食になって、積極的に人生を愉しむ行事に家計の一部を投資できるようになってきました。これが国家の経済でも行使されたら、どんなにか国民の生き甲斐のある積極的な事業資金となり得るかと考えるのです。国家の経済は国民の主食を離れては考えられないことが、家計から明白になるのでした。

私は子供達に、日本人の主食は米であることを口ぐせのように話して聞かせます。お米を主食にして健康を確立して十分に活動できるのでないなら自主独立はできないことを、子供にはピンと理解できなくても、私は繰り返し繰り返し話して聞かせます。子供の時に理解できなくても大人になって理解するでしょうし、それよりも何よりも、身体が覚えてくれるはずです。

玄米は日本人の生命の根幹であって日光や空気や水と同じです。日本の風土に生活していて、この日光には当たりたくない、この空気は呼吸したくない、この水は飲みたくないなどとわがままをいっていられないように、お米はいやだから肉とパンと牛乳の食事でいくというのは日本の風土に適さない不自然なことではないでしょうか。

一国の主食を個人の嗜好の自由選択にまかせきりでよいものかどうか、主食とはそういう性質のものであるかどうか、自由とはそれほど放任されていることを指すのか、私ははなはだ疑問です。わが家では玄米は日光や空気や水と同等ですから、子供の勝手気ままな選り好みは許しません。玄米は精が強い食べものですから、時には五分づき米にしたり、胚芽米にしたり、麦飯にしたり、白米にしたり、粉食にしたり、家族の体調の変化に応じた内容の食事にはしても、主食の根幹はあくまで玄米食です。もしどうしても肉食を主食にしたいなら、肉を主食とする風土の外国へ移住しなさい、そうでないと本当に大地自然と一体となった健康と幸福な一生を得られないからということにしているのです。

家庭の経済も、国家の経済も、主食を何にしてどの程度正しい食生活を確立できるか、これによって健全な経済となるか不経済となるか定まるのではないかと考えます。日本で生活するならあくまで米を主食とし、その米をどのように食すか、例えば玄米で食すか、五分づきとか七分づきで食すか、胚芽米で食すか、麦混米とするか白米とするか、その選択は個人の健康と経済の求め方にゆだねるのがよいと考えられます。

自由主義経済社会では、あくまで需要と供給の大原則がすべてを決めるかもしれませんが、法に触れさえしなければ自由放任、したがって主食の選択も国民の嗜好の自由というのでは、経済は国民の嗜好の変化に絶えずゆれ動くばかりです。私は米を、日光や空気や水と同じく、日本の風土で生活するなら選り好みのきかない生命必需要素であるとする再認識を訴えてやみません。

お米を正しく食べるということ

玄米食生活を続けるうちに、私はお米を正しく食べるということがいかに大切で、またいかにむずかしいことかを痛感させられています。玄米を知らないでいた頃は米とは白米のことだとばかり思っていました。それゆえに、「お米を食べるとバカになる」とか、「米を食べ過ぎると糖尿病になる」など、新聞や雑誌などで読んで、お米を食べるとバカになったり糖尿病になったりするのではかなわないと考えて、パンと肉と牛乳と野菜や果物の食事に切り替えたりしたのでした。

米食に関するこのような間違った音頭を、私同様無批判に受け入れて、米食からパンや肉食へ食事の中心を移行させた人は沢山あったに違いありません。現在でも依然として、「米はなるべく食べない方がよい」という偏った常識が根強く残っています。この音頭は当時外国から安く輸入される小麦粉をパンやビスケットや菓子にして少しでも多く食べさせるために、業者と政府と学者が結託して作り出した芝居文句だったといわれています。

戦後の食糧難の時代に、アメリカからの援助物質として供与され、安く輸入された小麦粉を、政府が業者を通じて売りさばくための便法のひとつだったのです。政府と業者と学者が三位一体となって宣伝に努めたのですから、国民の大多数がこうした文句をマトモに受け入れたのも無理はありません。私がカツだハムだハンバークだバターだチーズだと熱心に食べ出したのも、こうした宣伝文句がラジオや新聞や雑誌などでさかんに流布され出してからです。そして今になって考えてみると、こうした食事の盲目的な転換に比例して、私の医者通い、病院通い、薬の服用が増大しているのです。

ある時、私は全国農協中央連合会会長のM氏にお目にかかる機会がありました。そこで、私は、「お米を食べるとバカになる」「米を食べすぎると糖尿病になる」などについてM氏の見解をたずねてみました。この文句は国民の米離れを促すもので、これに対する策を何かとらないのですかと私は質問したのです。米の生産者の代表がこれらをどのように受けとめ、さらにどのような対策を考えているかを知りたかったのです。

M氏はやや悲しそうな表情で答えました。「お米はおいしい食糧ですから、どうしても食べ過ぎてしまうのです。あなたも、そう思いませんか。私は、お米がおいしくてならない。それが困るのです。たくわんとか白菜漬とか塩気のものさえあればどんどん食べられる。まして白米は口当りがよいから、どうしても食べ過ぎてしまう。私もこの通り太っている。これも米の食べ過ぎなんで、糖尿病の気があって困ってるんです」

M氏は自身が「米を食べ過ぎると糖尿病になる」ことを体現しているので、米についてのこの不届千万な文句に反論できずに困っているのでした。

M氏のいう通り、上手に炊けた御飯は大変おいしいものです。寿司屋さんの米がおいしいとよくいわれます。寿司屋さんは商売柄おいしい米をおいしく炊く苦心と研究を絶えずしているので、あのようにおいしい御飯となります。最近は米づくりも炊事も粗雑になってしまったので、食堂でもレストランでも家庭でもおいしいと感心させられる御飯にお目にかかる機会は少なくなりました。しかし本当はM氏のいう通り、米は非常においしい食べものです。おいしいからつい食べ過ぎてしまう。その結果、体調を崩したり病気になったりする。「米を食べ過ぎると糖尿病になる」ことになったり、塩気の摂り過ぎで高血圧症になったりしたわけです。しかしこれらは米が悪いのではありません。お米の正しい食べ方がなされていないための結果です。

私はM氏に、「お米の正しい炊き方、食べ方を農協が中心になって指導してはどうですか。何のメーカーでも、自分のところの商品が正しく使用されてより多く売れるための努力を一所懸命やっている。米の生産者が米の正しい食べ方について宣伝することは米の汚名をそそぐためにも必要ではないですか」と、尋ねました。

M氏は「そうですね」と応えながらも困ったようでした。M氏には複雑な立場があるので安請合いはできないのでした。

その後私は農村の青年達と話し合う機会がありました。彼らの最大の悩みは農村へ嫁のき手がないのと、大規模農業経営は別として小規模農業では採算が合わないことでした。私は彼らが一人として玄米食のことを知らないのに驚きました。そして米づくりよりももっと効率的と思える特殊農産物や畜産や花木や果実づくりを専業としているために、自分のところで食べる米は購入している人も多いのです。田があっても米づくり以外の農業に取り組んでいることを知って、私は驚くと同時に悲しくなりました。米よりも金の観念が強いのです。第一が嫁、第二が金、これが現代の青年農業者の多くの悩みであり目標だったのです。

私がさらに驚き悲しくなったことは、玄米食を知らないことはともかくとして、米を主食とする正しい食生活法がまったく行われていないことでした。それどころか安易な栄養知識、テレビなどで宣伝されている程度の栄養観念の食生活です。例えばおびただしい加工食品、インスタント食品類、清涼飲料類、化学調味類が食事の主流をなしているのです。米でも新鮮な野菜でも卵でも牛乳でも自家製の味噌醤油でも、心掛けさえすれば簡単に手に入れられるのに、身近な食糧には目もくれずに、大金をかけて加工食品類をまとめて購入して冷蔵庫を満杯にする。そういう生活を近代的な文化生活と考えている風潮が根強く支配しているのでした。

そしてその結果、生彩を失った不健康状態の身体となり、病院通いや薬づけの生活です。これでは農村や農業への魅力はゼロです。住居が立て替えられて近代的住宅となり、家電製品はすべて備えられ、自家用車も持ち、農業機械も完備して、近代的な農業形態による農村農家になってきつつあることは結構なことです。都会生活者と同じような、あるいはそれ以上の文化的生活環境をつくり上げられるようになったのは喜ばしいことです。

しかしこれらは生活の形式的な部分で、形式は向上したけれど、肝心の農業者自身の農業はどうなっているのかというと、嫁のき手がない、農業は金にならないから後継者を引き留められない、どの農家も老人と病人をかかえて苦しんでいるという実情です。

私は農村こそ、都会生活者がしたいと思っても絶対不可能な、生気に満ちた健康的な生活のできる場であると考えていました。農村でなら新鮮な農作物を手に入れることができ、自家製の味噌醤油などもつくれます。日光も空気も水も都会よりもはるかによい、しかも住居も農作業も近代化して文化的となった、うらやましいことばかりです。これで健康と生き甲斐がなかったら、どこか狂っているのです。それは何だろうか、どこに狂いの原因があるのだろうかと話し合ったのです。

農家へ嫁いだら、どの娘もどの女性もみな健康になって美しくなって幸せになれば、農村への関心も高まらないはずはないでしょう。それが、家や農業はたしかに近代的になったけれど、たえず病気がちだったり病人や年寄りの看病や看護に追いまくられたり、旧いしきたりに束縛され通しで個人の自由がないでは嫁のなり手はありません。

これに反して、農家へ嫁げば絶対に健康になれる、必ず美しくなる、幸せになれるという確固たる農村生活を示せたら、若い女性が心ひかれないはずはないでしょう。農村でなくては絶対に得られないもの、それの実証が現代の農村では欠けているのではないかということになりました。

その絶対のものとは農産物の新鮮な生命だということになったのです。米の生命だけではなく、食べものの生命の認識、正しい食生活の認識が現代の農村に最も欠けているようでした。農業者ほど土の生命、水の生命、日光や空気の生命が農産物の生命になるのを深く理解している人達はないのに、自分自身や家族の生命となるとそれは粗末に扱っているのでした。生命ある食べもので自分の生命も家族の生命も必ず確立する、農業と農村とはそれを実証する場であるとなれば、若い女性に限らず誰もがじっとしていられなくなります。

私は玄米食をはじめてから、素人のモノ真似でしたが、借りた田で三年ほど稲作を家族全員でやってみました。子供達もみな田んぼへ入って苗を植え、稲を刈って、農家の人達ほどの収量は得られませんでしたが、それでも楽しい体験をして穫ったお米をおいしく食べることができました。

このほか父は毎日畑に出て野菜づくりをしていました。農薬や化学肥料はいっさい使用せず、台所で出る塵芥物や枯れ草や落葉類だけを肥料にしていましたが、それが八百屋やスーパーなどで買うものよりはるかに味がよくておいしいのです。私は背骨を怪我して重労働をできなくなったため農作業をやめています。しかし身体が応じられるようになりさえすれば、自分と家族の食料は自分達でつくりたいと、楽しみにしています。

玄米と少量の野菜と海藻と天然醸造による調味料類、これだけあれば私は十分生活できるようになりました。これだけの素材で人間が生活するには十分なのです。体調や季節や天候の変化にも十分対応できるのでした。最初の頃は、体調や季節の変化に対応した食事のコツがわからなくて、いつも教科書通りの同じような料理で同じような食べ方をしたために、食事の変化や楽しみが少ない上に、効果も少ない食事法でした。それが幾度も失敗や試行錯誤を重ねてやっと一つ一つ自分や家族に適した食事のコツがわかってくると、主食の玄米さえ正しく食べられれば多くの難問が解決するのでした。

この中で特に大切なことは体調に応じた栄養ある食べものを摂ることもさることながら、体調に応じた主食の摂り方のコツを自分なりに覚えることが栄養食を摂る以上に大切だということでした。例えばわが家では毎月一日は小豆入御飯にします。玄米赤飯です。それに、家族の誕生日などの祝日にもお赤飯にします。これは月に一度くらいは小豆を食べるのが体内生理のために必要なことが身体でわかるからです。小豆は腎臓などの働きを高め体内の老廃物を体外へ排出する特別の成分を含んだ食べものです。摂りすぎてはよくないですが、一月に一度か二度くらい主食のお米とともに摂ると内臓の働きを整えるのに顕著な効能があるのです。日常は普通に炊いた玄米御飯です。どんな場合、どんな季節にかかわらず、上手に炊けた御飯ほどおいしいものはありません。

しかし毎食炊きたての御飯を食べられるわけではないですから、冷や飯の上手な利用法が非常に大切になってきます。夏期なら水分を多めにしたサラッとしたおかゆにするとか、玉ねぎや人参やキャベツを刻んでチャーハンにするとか、冬期なら味噌入りのおじやにするとか、特に寒さ厳しく風邪気味のような時には、ねぎや大根やしいたけなどを入れた味噌おじやが身体を非常に温めて風邪気を追い払ってくれます。御飯の料理法を変えるだけで、季節と体調に適した食事をいろいろとつくることができるのでした。

私の子供の頃は、現在のように沢山の菓子類や副食類はありませんでした。そこでおやつなどは、さつま芋やジャガ芋のふかしたり焼いたのや、おむすびに味噌を塗っただけのものなどでした。現在でも田舎へ行くと、味噌だけ塗った大きなおむすびや醬油をつけて焼いたおむすびにかぶりついておやつにしている子供達の姿を見かけますが、さまざまな添加物でごまかされた有害食品に類する菓子を高価な金を出して食べさせるよりも、どんなにか身体のためによいかしれません。

私の内臓は永年の間違った栄養や薬漬けで、総体的に相当傷んでゆるんでいました。玄米食になりたての頃は、弱った内臓の組織を一日も早く強く締めたいがために黒ゴマ塩やテッカ味噌などかなりの塩分を意識的に摂り続けたものです。米と塩分は相性がよく、塩分は消化力を旺盛にすると同時に食欲をも増進させて、ついつい食べ過ぎの弊害ともなりました。米を主食にする食事の最大の難関は、炭水化物と塩分の摂り過ぎです。これが原因してわが国古来からの国民病となっている高血圧や糖尿病や脚気が多発していたのです。

米食にまつわるこの難問を解決する最もよい方法は、御飯をよくかむ、できることならかんでかんでかみつくす、こうすると胃腸の能力に応じた量で満腹にもなるし、塩分過多も防ぐことができるのでした。私はかむことを無視した食べ方をしていましたので、最初のうちは思うようにはかみ続けられず、修行のつもりでかみ続けるとアゴやコメカミが疲れて痛くなったものです。

人間の身体の器官や機構は実に精密にうまくできていて、歯といい唾液といい、正しく使うほど身体のためになることばかりです。唾液は食べものが最もよい状況で消化吸収されるための神秘的な酵素や消化酵素やホルモンを含んだ内分泌液で、身体の老化や退化現象を予防するためにも、よくかむことが非常に大切な務めだったのです。米主食の正しい料理法と正しい食べ方さえ習得すれば、米は身体によくないどころかよいことづくめです。ただわが国では米食が因襲的に行われてきていたために、お米の正しい食べ方の生活法を失ってしまっているのです。

玄米食をよくかんで食べるようになって、私は傷や吹出物などの治りが非常に早くなりました。子供らも同じです。擦りむいたり切り傷をした時に食べものと治り方の実験をすると、この関連性が実によくわかります。砂糖気や果物気が入ると傷の治り方はトタンにおそくなります。さらに摂り続けるとなかなか治らなくなると同時に化膿してきます。それが玄米と少量の野菜と海藻をよくかんで食べていると、再び急速に治りはじめます。反対に塩気を強くしていくと、ある程度以上になるとこれも治りにくくなります。そこで再び玄米の基本食に戻すと傷でも吹出物でも早く回復しはじめるのでした。内臓にできた傷でも腫瘍でも同じことがいえるのではないでしょうか。

こうしたことから、子供達も傷をつくると唾をつけて、甘い飲食物や果物類を食べなくなりました。唾液が殺菌力のない治癒力のない甘くて薄い液ではとっさの手当てにはなりませんが、玄米食を正しく行なっていると、唾液こそ最良の傷薬になってくれるのでした。救急箱を持参させなくては遠足にも旅行にも運動会にも出せないとなったら、これは不自由なことです。救急箱の代わりに、私は玄米食をよくかんで食べることを口やかましく実行させています。しかし子供達の胃腸は丈夫なせいか、親が口やかましくいうほどにはかみませんが、私は彼らが思いついた時にかむ努力をしてくれるだけでもいいと思っています。

お米を正しく食べる方法の基本を理解できていれば、いつかはよくかむことを習慣にできるようになると信じているからです。裸一貫でどこへでも小鳥や魚や動物のように飛び出して行き、タノシクてならない、オモシロクてならない、スキでたまらないことをやり抜いて沢山の人に喜ばれ感謝される人間になってほしい、私はそんな気持ちでお米を正しく食べることだけが子供達に授けられる最大のタカラモノと考えているのです。

持病と老化対策としての玄米正食

玄米食をよくかんで、掃除でも洗濯でも何でもできるかぎり身体を動かす労働をする、真生活法の要諦はたったこれだけのことだったのです。たったこれだれのことを、いかに高度に正しく実践できるかできないか、その程度に応じて健康の七大条件の完成度が変わり、紙のいらないような程よい硬さの大便ができるかできないかにも反映するのでした。単純なことほど継続的な実践はむずかしいものです。しかし必ずしも完全な実践ができなくても、よい生活法を忍耐強く繰り返し繰り返し継続するのは、無理なく体質改善の実効を上げるために、想像以上に重要なことがわかってきました。

私は生まれつき虚弱体質で、成人してのちも欠陥人間なので、玄米食によってどうにかこうにか人並み水準の健康を維持できているのが現状です。玄米食によって健康になり好調になれたので、一日たりとも玄米食から離れたくありません。しかも玄米食を続けるにつれて、健康にも家計のためにも国の経済のためにも、生活のあらゆる面に玄米が非常に貴重なことがわかってきました。玄米食を続ければ続けるほど、さまざまの恩恵にめぐまれてくるのがわかってくるのです。ですから私は玄米食に何ら違和感もなく抵抗も感じていないのです。

妻は私と反対です。丈夫な生まれで健康だったので、玄米食でなければならないほどの必要はないのでした。玄米食では滋養が強すぎて、玄米食を通常の食欲のままで続けると、どうしても栄養過多気味になってしまいます。彼女には玄米よりも白米か麦飯の方が軽くて調子よいのです。白米か麦飯に世間一般の栄養で不都合ないのでした。

この健康な妻が持病にとりつかれてしまいました。ある年の夏祭りの時のことでした。私の住む市では、何年かごとに各町の山車《だし》を出して、さまざまの催し物をして賑やかな夏祭りをします。その年も沢山の山車が出て、近年にない盛大な賑やかな夏祭りになりました。私の町内にも立派な山車があって、子供達は太鼓を叩いたり笛を吹いたり綱を曳いたりし、親達も一緒に綱を曳いて市中を巡るのです。

非常に暑い夏でした。じっとしているだけでも汗がにじみ出て流れる暑さですから、日中を綱を曳いて歩くので全身が汗ビッショリになってしまいます。暑さに汗が出れば誰でも冷たい飲みものを欲しくなります。山車の後には氷水や冷たい飲みものを積んだ車がついています。のどの乾いた人はいつでも飲めるようになっているのです。妻は氷水がおいしくて、自分でも異常だと思うほどおいしく感じつつ、かなり飲んだのでした。

その夜から彼女は下腹部の激痛に苦しみはじめました。祭りともなると、ついつい飲み食いが乱れがちです。ふだん食べつけないものや飲みものなどがどうしても口に入ってしまいます。妻の苦しみ方があまりにも激しいので近くの病院で診てもらいました。その結果、急性卵巣腫瘍との診断です。そのまま入院して手術して腫瘍を摘出した方がよいという医師の意見でした。私も妻も、娘の病気以来、できる限り薬や医者や病院の世話にならないことを申し合わせています。手術などを、そう簡単に、やってよいものと考えていません。

診断ではニワトリの卵大の腫瘍が卵巣にできてしまっていて、摘出手術するしか治療する方法がないというのです。しかし、冷静に考えてみると、どんな性質の腫瘍かわからないものの、このような腫瘍となったからにはそうなるための道すじと時間がかかっているはずです。この道すじと時間を逆戻しできないものだろうかと、私は考えたのです。卵巣という部位に卵大の腫瘍ができたというものの、それはある日突然偶然に瞬間的に発生したわけではないはずです。さらに卵巣という部位が選ばれたのには、それなりのわけがあるはずです。卵大の腫瘍になっているのには、それなりの時間と材料がかかっているはずです。それらが卵巣に集積した道すじもできているはずです。

これらを逆戻しできないものだろうか、その道すじを使って腫瘍の成分となっている内容物を逆吸出できないものか、逆吸出にかかる時間とこれからさらに悪化するかもしれない時間とどちらがスピードがあるのだろうか、体外から移植したのではないのだから摘出手術しか治療法がないというのは納得できないことでした。ガンでも潰瘍でも何でも、異様異常なモノは切って捨てる治療法は、治療法といってよいものかどうか私達は以前から疑問にしているところです。ただ単純に切除してしまうというのは、治療ではなく一時しのぎの対症処置に過ぎないと思えてなりません。

私達は、卵巣腫瘍は摘出手術しかないといわれて、そうですか、では仕方ないからそう願いますということはできませんでした。手術するほどの決心をするなら、その前に試みられそうなあらゆる手当てや治療をしてみることにしました。もちろん、そうこうしているあいだに取り返しのつかない手おくれになってはなりません。さっそく食養療法にかかったわけです。激痛に襲われている時などはこのまま息絶えてしまうのではないかと、誰でも気持ちが動転するものです。しかし激痛とか苦痛というのは生命力の非常警報であって、そのことで生命そのものが失われるというようなことはないはずです。痛みは神経の言葉のようなものです。その言葉をどう聞き分けられるかが名医の資格のひとつに違いありません。

自宅で食養療法を続けるうちに一日ごとに病状は軽くなり、一週間ほどで妻は起きて仕事もできるようになりました。激痛のあった間は、ほとんど何も食べられませんでした。食べてはならない、食べものの必要はないというための、食べさせないための激痛だったようです。激痛が去るといくらか食欲も出てきました。厳格な食事療法と、いかにも野暮ったいけれど効験のある生姜シップと里芋のパスター貼りだけの繰り返しです。こうして一週間ほどして妻は起きられるようになりました。十日ほど経って病院へ行って再検査してもらいました。卵大だった腫瘍は親指の頭ほどの大きさに変わっていたのです。診察をした医師は、自分が誤診をしたのではないか、卵巣腫瘍が手術をしないでこのようによくなるとは考えられないと、大変不思議がったのでした。

こうして妻は卵巣腫瘍という持病にとりつかれることになりました。時々軽い腹痛を訴えたり、腰の痛みに悩まされることがあります。しかし根が丈夫なので、数日注意して養生すると苦痛は消えて、彼女は持病のあることなどを忘れたようになってしまうのでした。

それから五、六年後のことです。妻の実家の法事が東京で行われ、彼女は幼い下の子を連れて出席しました。寺での法要を済ませ、近くのホテルのレストランで忌明けの会となりました。ふだん食べつけていない沢山のご馳走が次々に出されて、彼女は注意していながらもついつい冷たい飲みものや栄養食を飲食してしまったのです。すぐに腹痛がはじまって、便所へ行ったもののそこで倒れてしまって、救急車で都内の病院に入院です。今度は卵巣からの出血になって、そのための手術をせざるを得なくなりました。今回は卵巣を摘出せねばならないという状態ではなく、出血を止めるための手術ということでした。この手術と養生のために二週間ほどの入院生活となってしまいました。この際に、持病の腫瘍を摘出してもらった方がよいという意見も忠告もありましたが、私達はそれには従うわけにはゆきませんでした。ですから妻の持病はそのまま温存されたわけです。

さてそれから後が問題なのです。

この世の現象はすべて、生まれれば死に、明ければ暮れ、闇ののちには光が、現われたものは消えるという具合に陰と陽の現象が交互に出現します。病気だって現われればいつか消えていくはずのものです。身体のどんな深部の腫瘍でも、それが発生した原因があったのだからその原因を除けば、やがて消えるはずです。病巣を悪化させるか解消させられるか、それは病巣に対する生活態度によっているに違いありません。病巣の悪化を促進する生活をすれば腫瘍は大きくなり、悪化してそれこそ摘出手術しても間に合わなくなるだろうし、病巣が解消する生活をすれば持病も消えてしまうに違いないのです。

妻はもとが丈夫なので、ちょっと調子がよいと食養を忘れ、身体を粗末に扱ってしまうのでした。胃腸が丈夫だから、食べてはいけないものでも、ついつい飲み食いしてしまいます。そうすると天罰テキメン。必ず激しい腹痛と腰痛に見舞われます。そうするとあわてて、私達はシップをしたり、パスターをしたり、本人は急に食べものに注意し出したりするのです。厳格な食養に戻ると、腹痛も腰痛も二、三日で消えるのでした。こうしたことが度重なると、またかということになってきます。最初のうちは湯を沸かしたりシップをしたりパスターをして手当てしてやれたのが、毎度のこととなるとまた邪食したなと文句をいうのがせいぜいで、妻も食べてよいものとよくない飲食物がそのたびに明確になってくるのでした。

きちんと玄米正食を守っていると不思議と病気を忘れてしまいます。しかし病気を根絶できていないのですから、病気を養うような飲食や生活になると、せっかく消えかけていた病根を再び芽生えさせてしまうのでした。ですから病気を根絶しきるまで厳格な治療をし抜くか、それとも病気と共存で侵害されない程度に仲よくやってゆくか、それとも病気に負けて死で解決するか、病気対策の心構えはこの三つのどれかのようです。

最高の治療法は〝食い改め〟

わが家では、私は虚弱体質の欠陥人間ですし、妻にはこのような持病が定住することになったのですから、病気と共存の生活です。身体を粗末にし、好き勝手な飲食をし、不規則な生活を続けると病気という警報装置が悲鳴を上げさせてくれるわけです。ですから病気は一種の自動制御装置で、大変ありがたいものです。飲食と生活の間違いが病気の根源となっているのですから、病気を治すには飲食と生活の間違いをいち早く改めるしかないことを、妻の持病は実によく物語るのでした。

妻の腫瘍も悪性になればガン性になる可能性があるはずです。ガン性の悪性腫瘍にしてしまうか、しないで済ませられるか、それは悪性となる飲食や生活をするかしないかが別れ道でしょう。そんな物騒な病巣は切り取ってしまった方がいい、早期治療だという意見が大半です。しかしガンを切りとってもガンを生み出した根源を解消しておかなければ、すぐ同様のガン細胞が他に転移するはずです。注射や薬や光線や手術で治そうなどというのは一時的な気休めに過ぎず、病勢を少々邪魔してみる程度のことに過ぎないでしょう。悪性体質となる飲食と生活をするか、それとも体質を浄化する飲食の生活をするか、これが病巣が悪性化するか解消するかの別れ道に違いありません。浄化しきれない体質となってからあわてて生活や飲食を正しても、せっかくの改心が報われません。それだけに少々の程度のところで警報の痛みを知らせてくれる持病は大変ありがたいものです。人生の教師です。警報を受けたからといって何でもかでもすぐに警察や消防署に通報するのではなく、自分の身体が発している警報なのだから自分で解決を試みる、それには食と生活を改め正すしかないことが持病によってよく観察できるのでした。〝食い改め〟こそ万病の治療と予防の基本です。

ガンで死ぬ人が増大しています。小児にまでガン発生が増大してきています。現代医学には根本的なガン治療法はまだないといわれています。ガンは自己浄化力が対応しきれなくなって発生したやむにやまれずできた浄化装置の一種なのですから、自己浄化力が応じきれなくなるほど体内生活環境を汚染しなければできないはずです。体内で発生したり注入されてできた毒素や腐敗老廃物質を絶えず順調に新陳代謝して、体内浄化が順調に行われていれば、ガン式浄化装置などは必要ないはずです。自己浄化力が順調に働く範囲の生活をする、それがガン予防法でもあり、さらには治療法の原則でもあるはずです。瀕死の状態になってから食い改め、生活を改めても間に合いません。その段階にまで至って、どんな高価な薬や注射や光線を浴びせて手術してみたところで、生きるための浄化能力を失っては助かるはずはありません。新陳代謝機能を正常に維持する、これが健康の基本であることを私はたくさんの病気をみて気づかされたのでした。そして、自分の新陳代謝が順調であるかどうか、正常であるかどうかを知る方法を、玄米食生活をしてみてよくわかるようになったのです。健康の七大条件をどの程度マスターできているかを観察するのと同時に、大小便の排泄、顔色、肌のツヤ、眼の輝き、唇の色、舌の色ツヤ等々で、如実に代謝状態や健康状態を察知できるのでした。

現代医療では、一に検査、二に薬、三に注射、四に手術、そして五番目くらいになって養生をする感じです。その養生も、健康のための積極的な養生ではなく、術後とか加療のための養生です。消極的な養生にすぎません。

これに反して真生活法では、一に正食、二に労働、三に養生です。それによって新陳代謝能力を高め、自己浄化力を旺盛にするのでした。煙草を喫うのも酒を呑むのも、汚れた水を飲むのも汚れた空気を呼吸するのも、新陳代謝の自己浄化能力の範囲で行うのであれば、それらがすぐに身体の害悪になるものではないはずです。それらが身体の生命秩序を乱して自己浄化力を減退させたり、その機能を低下させたりすれば、それは自業自得です。

自業自得といえば、私は背骨を骨折したために約一年間、胴の部分にギプスを着けた生活でした。私は玄米正食と骨折手当てを熱心に忠実に守りました。そのおかげと幸運で、どうにか健康を回復できたのですが、長期間のギプス着用で身体が非常に硬化してしまいました。もともと虚弱な体質が、長期間の運動不足で、骨も筋肉も一段と痩せ衰えてしまいました。ギプスを脱いでのちも、ギプスを着用している時と同じような硬い動作しかできないのです。身体の中に鉄筋を入れたような硬い直線直角的な動作しかできませんでした。筋肉は硬化が進むと次第に硬結豆粒状になって化石状の結集となってきます。硬結粒ができると血液の流れは悪くなり、硬結部分に老廃物質が滞留してさらに硬結が結集しやすくなるようです。硬結が硬結を呼んで、老化がどんどん進行するのです。一年間もギプスを着用したために、私は胴体部だけではなく、全身の筋肉が弱くなって老化現象さえ現われてきているのでした。

硬く弱くなっている筋肉を柔軟な正常状態に復帰させるためにマッサージや指圧や柔軟体操をせねばなりません。マッサージや指圧や柔軟体操を行ってみて、私は柔軟な張りのある筋肉がいかに大切なことかをつくづく知りました。例えば股関節、股のつけ根にはリンパ腺球ではない筋肉と血管との硬結球が沢山できてきています。これが多ければ多いほど老化が進んでいるのでした。足は第二の心臓といわれるように、胴と足の血行がこの硬結によって閉ざされて全身の血行が弱まり細くなってしまうのです。腕と胴の関節についても同じことがいえます。胴と頭の関節、すなわち首についても同じことがいえるのでした。

硬結は老化の証明書です。足から老化するとよくいわれます。足の血行が十分でなければ足の若さが保てなくなるのは当然です。枯れた植物の根には硬結粒がビッシリできています。老化した人の股のつけ根にはビッシリと硬結球ができているのでした。私の身体はすっかり硬直してしまっているので、硬直を除くことよりも普通の動作や行動に支障ない筋肉に復帰するのが先決でした。筋肉が柔軟になるためには硬結も溶解されねばならないのでした。老化をストップするには硬結をつくらないこと、できてしまっている硬結を解消する、そのための生活をせねばならないのでした。硬結をつくらない新鮮な健康な血液と、血液を停滞させ続けたり滞留させ続けない適度の運動、この両方が調和した健康管理でないと老化問題を解決できないようです。これらの体験をもとに、私はいま玄米食と柔軟体操を心がけています。すでにできてしまった硬結球や硬結粒を、どの程度まで解消できるものか、そして、柔軟な骨と筋肉の健康体にどこまで回復させられて若さを維持できるか、現在はそれを新しい課題として取り組み中です。

玄米食のもたらすもの

自然ライフサイクルの出発点

私のように玄米食をしたおかげで元気にいられる者と、玄米食でなく何を食べても丈夫で元気にしていられる人のあるのはどうしてなのだろうか、私は不思議でした。玄米食以外の食事をしていると誰でも不健康や病気になり、玄米食になると誰もが必ず健康で丈夫になるというのだったら、どの食事はよいが、どの食事はよくないということが明確になって誰もがすぐ納得できて便利です。しかし、現実はそう単純な具合にいかないところがむずかしいところです。

一般に胃腸の弱い人は、何でも自由にモリモリ食べるというわけにはいかず、胃腸や内臓が丈夫な人は飲食にわりあいと無関心です。何を食べても丈夫でいられる人が、玄米食などしなくてもこの通り丈夫で健康だと証言すると、健康のために特に玄米を食べなければならないという理由はないように思えて、別の方法でも十分健康で丈夫でいられる方法があるに違いないと都合よい考え方をしがちです。胃腸や内臓の強弱、好不調の原因は一体どこにあるのでしょう。

私は弱い体質に生まれた上に暴飲暴食的な生活が原因で、すっかり胃腸も内臓も弱くしたのでした。これまでに積み重ねた食と生活の間違いを、現在、玄米食によって償っているのかもしれません。何でも自由に食べられる人とそうできない人の差、胃腸や内臓の強弱の差は、どうも食と生活法の間違いの軽重の程度に比例しているようです。身体への罪滅しを何でどう行うか、それによってどのように健康を回復し元気になれるかが決まるのでしょう。私の場合は玄米食が実によく適していたのでした。そして玄米正食法によって胃腸や内臓の調子が回復してくると、何でも自由に食べたいとしていた食べもの観に大きな変化が生じてきているのでした。欲望のままに胃腸をゴミ箱のように扱っていた頃は、この世のありとあらゆる食べものは人間のためにあるのだから何でも食べたいだけ食べるのがよい、それが食の自由というものであるというふうに考えていました。ところが胃腸病に悩んで、再び何でも自由に食べられるようになりたい、と思って玄米食に励んでいるうちに、人間には食べてよいものとよくないもののあることを知らされたのです。人間の口に合うように適度に加工できさえすれば何でも食べてよい、などということは考え違い、間違いなのではないでしょうか。

動物の世界では、このへんの事情が一層明確に示されています。自然界の動物達は、どの動物もその種属や種類によって、食糧とする食べものが一定しています。あれもこれも見たもの手にしたものを何でも食べてしまうなんて動物はいません。いつも決まりきったような食べものので、それで十分、その動物としての寿命をまっとうしているようです。動物ごとに食域があって、あれも食べてみよう、これも食べてみよう、まして料理をして食べようなんていう動物はいません。自然から恵まれるわずかの食べものを食糧として、自然界の動物達はみな自由な生活をしているのです。その動物達の食べもので共通していることは、生命力豊かな新鮮な動植物を食べものとしているということです。動物のなかには腐った肉を特に選んで食す特殊な動物もありますが、そのような動物でもそれなりに食べものとしての新鮮度を弁《わきま》えて食しているようです。自然界の動物達の食生活がこのようなのに、人間だけが特別に大幅に変わっていなければならないなどというのはおかしなことです。人間は動物と違って知も才もすぐれて火の使用もできる、だから調理料理して栄養さえあれば何を食べてもよい、多くの種類を食べるほどよいなどというのはおかしなことです。

私は、日本にいて南洋のバナナやパイナップルやマンゴーその他さまざまな珍しい果物や、牛乳や乳製品や香辛料やフランス料理やスペイン料理や中華料理やロシア料理等々を自由に食べられ、冬に夏のものを、夏には冬のものをと季節はずれの珍しいものを自由に食べるのが、優雅な文化生活だと思っていたものです。好奇心を満たすことのできる生活を進歩的で豊かな文化的な生活だと思っていました。動物達の生活をよく観察し学びさえすれば、彼らは決して好奇心で食すようなことはせず、必ず自分の食べてよいとされてるものしか食べないことがわかります。

自然とともに生きる、この生き方を私は考えているほどには実践できていなかったのです。人間は自然とともに生きるのがよい、自然随順が最もよいのだと考えながら、考えたり口にすることは頭の中や口先だけの範囲で、実際に生活の中に具体化する方法をわからないでいたのです。自然随順の生活は、日本での日本人の生活なら、日本の四つの季節とともに生活する、暑い季節には暑いように、寒い季節には寒さとともに生活する、そして季節ごとにその季節に生産収穫される農水産物を食す、このことが最も基本的な正しい生活なのでした。わざわざ季節はずれの食べものを高価な代償を払って求め、季節はずれの環境づくりのために金をかけて設備したりして、身体の自然リズムを狂わすような生活を心掛けていたのでは、体調が狂い病気になるのは必然です。季節ごとの野菜や果物や魚介類などを、できるかぎりその日その日に新鮮なうちに食せるような生活をしていれば、大きな冷蔵庫や冷凍施設を持つ必要もないのでした。

鮮度を低下させてまでも冷凍冷蔵貯蔵してわざわざ季節はずれにする努力をし、大金を投じて温室栽培施設をつくって季節はずれの植物栽培をして、苦労して金をかけ地球資源のエネルギーを過分に浪費しながら健康を害し病気になる努力をしているのです。自然とともに生きよう、人間は自然界の一員なのだから、何やかやいったところで自然とともに生きるのが最も正常な生き方なのだ、自然とともに生きるのが賢い生き方なのだというふうに誰もが思っているのです。ところが自然とともに生きる生活は今では一つの理想となってしまいました。自然とともに生活したいと願っても、自然とともに生活することが不可能な生活形態ができあがっています。私も私の生活も、日本人のほとんどの人の生活も、ガッチリ文化的と称する金銭本位の経済生活機構に組みこまれているではありませんか。文明人とか文化人というのは不自然人のことをいうかのようです。そして現代は不自然、非自然に生きるのが一種の自然現象になってしまっているのです。

そこでは、人間は消耗品です。生命も消耗品です。なぜなら、季節をはずして鮮度を低下させたものを尊びありがたがり、土地のものより異国異風土のものを尊びありがたがり、季節の気候と反対の気候を尊びありがたがり、そうして人体生理の自然リズムを狂わせて不健康になり病気になり、高価な注射や薬を求め、入院手術を競う現代日本人のライフサイクル、これは人間とその生命を単なる消耗品と見なさなければできないことです。経済機構を回転させるための消耗品になっているのです。私は消耗品になることを求めて、アクセクと文明人、文化人となるための文化生活を一所懸命に求めていたのです。ですから玄米食生活になって玄米食生活でやることなすことすべてが、現代生活の逆のようなことばかりなので戸惑ったのです。そしてここに玄米食生活のむずかしさ、問題のあることが明確になってきたのです。最大の問題は、自分は人間としてどう生きるべきか、この最も基本的な問題にぶち当たったことです。人間いかに生きるべきか、人間の基本問題が玄米食をしてみてはじめて痛切に考えさせられるようになりました。

端的に表現すると、自分は自然のライフサイクルの一員として生きるべきか、資本経済機構サイクルの一消耗品として生きるべきか、どちらの生き方を自分は望み、どちらを選択すべきかということでした。玄米食のおかげで娘の生命を救われ、自分も家族もみな健康な生活をおくれるようになっているので、実際はこと改めてどちらの生き方を選ぶべきかなどと考えるまでもないことです。自然のライフサイクルの一員として生きるのが、どんなにか健康のためにも幸福のためにもよいか明瞭です。ただ問題はガッチリと仕組まれた現代の社会経済機構の中で、どのようにして自然随順のライフサイクル生活を具体的に実践し得るかということでした。

一番簡単なのは、この現代社会から逃げ出して、現代社会との縁を断って山中にでもこもって仙人のような生活になることです。しかしこれでは自分一人はよいとしても、親や妻や子供達や愛する友人知人に対する責任も義理も果たせません。そうまでせずに、現代の社会経済機構の中で、何とか自然ライフサイクルを実現してゆく、それでなくては家族や友人知人など愛する人達ともどもの生活はできません。誰もが自然ライフサイクルの生き方と人生を希望している。誰もがみな、健康と幸福を念願しているのです。できるかぎり自然とともに生きたい、これは私だけの願望ではなく多くの人の願望です。自然と触れ合う生活をしたくても、私に耕作用の土地があるわけでもなし、都会に住む人達がみなそれぞれ土地を所有しているわけではありません。自分に耕作地があって季節ごとの収穫ができて、新鮮な食べものを自給自足できるなら、こんなありがたい恵まれた環境はないでしょう。しかし日本人の大多数はそんな生活はできません。自分が欲しなくても不自然な生活を押しつけられていて、不自然でも何でも生活せざるを得ない状況です。だからといって、これを甘受していたのでは、いつまでたっても自然に近づけません。土地もない家もない庭もない金もない、現代の社会経済機構という巨大な機械の一部品に組みこまれてしまっている私達が、自然に近づき自然を取り戻すには一体どうしたらよいか、何をどうすることからはじめるべきなのでしょうか。手短かに誰でもすぐに実行できることは、まず自分のお腹の自然を取り戻すことでした。

土地や庭や緑や、海や川や山がなければ自然に触れ合えないのではないのです。都会のコンクリート社会の中心部にいても、自然に近づき、自然とともに生活する方法はあるのでした。それには食べものに含まれる自然を頂戴して、自分のお腹の中に自然を取り戻し、お腹の中に自然の公園なり田園なりを築き上げることが必要です。このためには日々の飲食だけは苦労をしてでも、なるべく新鮮で自然の生命力に富んだ食べものを手に入れ、食べものの自然の生命を壊さないように正しく調理、料理して正しく食す。自然とともに生きる生活の真髄は実に身近なところにあるのです。お腹に自然環境を築き、お腹の自然環境を保護できる人でなくては、住まう環境をどのように変えてみても自然とともに生活できる人とはなれそうもありません。

私は都市に住む身として、いま自分にできる自然獲得法は、自分と家族のお腹の中の自然環境を確立することであると思えてきました。日々の食べものによる自然とともに生きる方法です。そしてこのためには、私も妻ものん気な消費者では済まされなくなってきました。八百屋やスーパーやデパートで食材を購入するにしても、第一番は何といっても季節に準じた旬のものを買うこと、繁雑な加工食品は不要です。原料となる季節の食糧を購入しさえすれば、加工は家庭での料理の受け持ちです。内容の不明な加工食品は買う必要がありません。内容が明瞭に表示されていても、それが単に栄養や味や香りの寄せ集め食品なら買いません。大量生産される加工食品は、それがどんなに衛生的に栄養学的に経済的に製造されたとしても、消費者一人一人の現在の身体の状態を考慮してつくられたのではなく、結局は利潤を目的として製造されているので買いません。

加工食品ばかりではありません。不自然な状態で栽培されたり飼育されたりした農畜産物も買いません。例えば季節はずれのハウス栽培の野菜や果物類、これらはどんなに珍しくても健康な自然なお腹のためには不要です。異常な環境で無理やりにつくり出される卵やブロイラーや肉や養殖魚や野菜や果物など、これらは不自然な産物なので私は買う気になれません。

原因不明の難病奇病や異常性格者や異常な行為行動の出現は、異常な環境でつくり出される食べものや加工食品の普及に比例しているように感じられます。自然の法則を犯している不自然な食べものは、お腹の中の環境をも不自然にして、異常な病気や性格となって現われるのではないでしょうか。そのような食べものは、いくら食べものらしい姿形をしていても、本当の自然な食べものではないのですから買うわけにはゆきません。自然の法則と、宇宙の秩序と、自然の産物を教師として、インチキやニセモノを見破れる消費者にならないと、私達は体内の自然環境を確立できない生活環境となっているのです。

私にとって、主食を玄米にしたことは、自然保護保全の第一歩だったことになります。日本人が日本の風土で生活するのに、主食を玄米にするか白米にするか、黒パンにするか白パンにするか肉にするか、実はこの単純な選択が日本の自然を愛護するか破壊するか、その重大なところまで直結しているのです。なぜなら、主食を玄米なり五分づき米なり胚芽米にすれば、米自体の持つ優良な栄養によって副食類による補充は少なくて済みます。それらは農村漁村の生産者が季節ごとに生産し収穫できる生産量で十分に間に合う量です。ただしこの場合、主婦は食べものの生命を生かす正しい料理をするだけの技術を体得し、料理をする労力を払わねばなりませんから、日々の食事と生活法を加工食品や即席食品で短時間に誤魔化すような具合にはいかなくなります。

しかし、玄米食を主食にして季節ごとの農水産物を食すというだけのことで、消費者はお腹の中の自然環境を保護確立できて健康になり、農業者は自然とともに正常な農業を安心して行い、自然環境を保護育成できるのですから、これほど合理的なことはありません。これに反して白米を主食にし続ける限り、現代経済機構が強要する様々な不合理と不経済を強制され、あげくの果ては自らをも、自らの生命をも消耗品の一部品にしてしまうことになってしまいます。そして地球資源を際限なく浪費するメカニズムが自然を保護して自然とともに生きるどころか、自然破壊を推進する生活になってしまっているのです。ですから自然保護運動をどんなに声を大にして叫ぶ運動家や政治家があっても、その人が何を主食にしているかを知りさえすれば、その人の真偽がすぐに見ぬけます。

お腹の中の自然環境づくりは、結局のところ、正しい食べものを、正しい取り合せで、正しく料理し、正しく食することに尽きるのです。真の農業者は、季節ごとに、最もおいしい正しい食べものを生産したいと願っています。生産物が正しく評価され正しく消費されさえすれば、農漁業者は自然とともに正しい農漁業をしていたいのです。私達消費者にとって、季節のものをその季節に食せるほどありがたいことはなく、その食べものの生命力もおいしさも身体への影響も、この時ほど効果的なものはないのです。季節外に品質が落ちて健康には害となるものを平気で高価で購入できるのなら、季節のものこそ喜んで求める正しい価値観を消費者は持つべきではないでしょうか。不要なもの、不自然なものを選別し、排除していくと、本物の農生産物がいかに不当評価されているかがわかってくるのです。結局私達消費者の一人一人が、自分自身のお腹の中の自然環境を愛護することに無関心であれば、それが不正不当な価値体系をつくり上げ維持し推進することになるのでした。消費者は神様とは実にうまくいったもので、消費者一人一人の主食の取捨選択がそのまま自然環境保護にも破壊にも、価値観にも価値体系にも直結しているのです。

自立更生のメカニズム

私達日本人の生活には食生活によって二つの大きなライフサイクルのパターンがあるように考えられます。ひとつは白米主食の生活サイクル、ひとつは玄米主食の生活サイクルです。どちらを主食にするか、それによって生活の違いは雲泥の差となって、しかもまったく逆の結果となってくるようです。同じ米を食すのに、白米を食すか、玄米を食すかによって個人も家庭も、社会も国も、その成り立ちと在り方がまったく違うようです。

白米主食のサイクル。これは栄養補充の食生活ですから補充に要するあらゆる栄養食品類が必要となります。どの栄養がどれだけ必要かということから西洋式栄養学が移入され、栄養の思想が定着し、栄養食品の生産となりました。栄養食品ばかりでなく栄養補助剤なども生産されています。これらの栄養で期待する補充が完全に行えるかどうか、時には不足したり過剰となったりして、個人差はありますが体調はアンバランスになりがちです。栄養学が進歩するのに比例して体調と栄養のバランスが完全にとれるようになって健康は増進されねばならないはずです。それなのに栄養学が進歩するに比例して見かけ上の体位は向上したにかかわらず、体調のアンバランス者が出現して虚弱化した人間が増大してきています。これはちょうど医学が進歩して病気と病人が増大しているのとよく似ています。計量に基準を置いた栄養学では、人体内の摩訶不思議な生理現象をまっとうするのにはどうしても不可能な面が生じてくるに違いありません。人意で天意に匹敵させようとしてもそれは無理なようです。この栄養観の下では十分な栄養を摂っているつもりでもその実、血液は虚弱となり、虚弱化した不健康で病的な身体づくりとなっているのかもしれません。

虚弱な血液からつくられる虚弱な青年男女の精子・卵子も、当然の成り行きとして虚弱である可能性が高いはずです。虚弱な精子・卵子の結合は、障害児、奇形児、虚弱児などの出生の増大という現実となって証明されてきつつあります。これら新生児を含めた不健康な人が増大すればそれなりの医療・福祉施設の充実や生活の補償などの諸費用は増大し、国家財政は膨張せざるを得なくなります。国の財政支出が増大するばかりではなく、医療費を一例にとれば国民の総医療費の増加も別表の通りです。諸費用の負担の増大によって、国も企業も個人も手っ取り早い収入や利益や所得が必要となり、金銭第一主義、お金万能主義の拝金思想が定着です。お金、お金、お金が生活の最大目標となって、金銭では評価しがたい生命は軽視や無視されやすくなって、需要と供給の原理や、原価主義や、決算数値が算定する価格が唯一最大の基準となりがちです。生命あるものを生み出すとか作り出すとか、生命ある行為行動をするとかいうことは実用化しにくいものと評価されるようになってしまっています。

農業者は季節ごとの生命あふれる農畜産物を生産するよりも、利率よく有利な金儲けになるものを生産し、そのためには農薬や化学肥料を能率的に使用したり、季節無視の栽培競争を展開するような農業になってしまいました。この結果農耕地の地力は低下し農村の自然は破壊され、そこから再び不自然で不健康で不経済なライフサイクルがはじまっているのです。

地力の低下した不健康な土↓生命力弱き農畜産物↓生命力なき食べもの（生命力を略奪減滅する加工）↓計量と数値による食べもの観（栄養の過不足によるアンバランス）↓不健全・不健康な血液↓心身の虚弱化（不健康で虚弱な青年男女）↓障害児・虚弱児などの出生（病気の増大）↓医療福祉施設の拡大や生活の保障、医療費などの増大↓不合理・不経済な財政による国民負担の増大・増税↓納税や諸生活費のための賃上げ↓コスト主義によるインフレ↓金銭第一主義・拝

表　国民医療費と国民所得の年次推移

	国民医療費		国民一人当たり医療費		国民所得		国民医療費の国民所得に対する割合(%)
	(億円)	対前年度増加率(%)	(千円)	対前年度増加率(%)	(億円)	対前年度増加率(%)	
昭和29年度	2,152	…	2.4	…	…	…	…
30	2,388	11.0	2.7	12.5	69,733	…	3.42
40	11,224	19.5	11.4	17.5	268,270	11.5	4.18
50	64,779	20.4	57.9	19.1	1,239,907	10.2	5.22
60	160,159	6.1	132.3	5.4	2,602,784	6.8	6.15
61	170,690	6.6	140.3	6.0	2,711,297	4.2	6.30
62	180,759	5.9	147.8	5.3	2,838,955	4.7	6.37
63	187,554	3.8	152.8	3.4	3,013,800	6.2	6.22
平成元年度	197,290	5.2	160.1	4.8	3,221,436	6.9	6.12
2	206,074	4.5	166.7	4.1	3,509,874	9.0	5.87
3	218,260	5.9	176.0	5.6	3,718,611	5.9	5.87
4	234,784	7.6	188.7	7.2	3,713,294	0.1	6.32
5	243,631	3.8	195.3	3.5	3,711,608	0.0	6.56
6	257,908	5.9	206.3	5.6	3,745,463	0.9	6.89
7	269,577	4.5	214.7	4.1	3,788,057	1.1	7.12
8	285,210	5.8	226.6	5.5	3,886,361	2.6	7.34
9	290,651	1.9	230.4	1.7	3,918,579	0.8	7.42
10	298,251	2.6	235.8	2.3	3,820,384	2.5	7.81
11	309,337	3.7	244.2	3.6	3,829,620	0.2	8.08

注：1）国民所得は、経済企画庁（平成12年12月発表）による。
2）国民一人当たり医療費を算出するために用いた人口は、総務庁統計局による総人口である。

金思想→生命よりも金（生命軽視・生命無視）→生命力無視の食糧生産→生命力のなき食べもの→……

そしてこのサイクルは浪費が浪費を要求する際限のない反復のメカニズムになって回転しているのです。このサイクルの中で、私達は浪費を生み出すために浪費を稼ぎ出さねばならない宿命の奴隷か、それとも消耗品の一部品になっているのです。基本的人権に保証されているようで体よく束縛略奪されており、主権在民と信じこんでいてその実体は主権在金、主権在帳簿、主権在機構制度という具合になって主人公とその生命が見当たらなくなってしまうのです。民主主義社会と誰もがいって、そう思い、そう考えているのですが、どうも本当の意味の民主主義社会とは違うようです。みながみな、何となく何か目に見えない大きな温かな柔かいもので、首輪をかけられている奴隷のようで、奴隷にしては自由が恵まれ過ぎているのです。しかしこの自由も、どことなく不安定で、つかみどころがなく、何となく、不自由な自由です。おかしな雰囲気の社会です。

玄米主食のサイクルは、食べものの生命が私の生命となるということ、今日の食べものの生命が、私の今日と明日の生命となるということ。この食べもの生命観は私の人生観や生活観を大変革させました。私の人間革命です。病気と不健康と、栄養と薬の奴隷だった私を解放してくれたのですから、これは私にとって革命的な大事件です。自由のようで不自由で、平和のようで絶えず脅かされていて、健康のようで不健康で、何ともおかしな雰囲気の社会に見える生活だったのが、生命観が明確になるにつれて鮮明に透明に感じられ出してきました。食べものの生命が私の生命だったのです。食べものだけで病気が治り、健康になるに正比例して、食べものとすべてのものの生命の大切さが痛感されてきました。同じ食すのなら新鮮な生命力豊かな食べものを求めます。同じ料理をするのなら生命力を生かした料理になります。こうして生命力の流れを軌道にした生活サイクルがはじまるのでした。健康で生命力豊かな土地からは、やはり健康で生命力に富んだおいしい作物が生まれます。

健康な土─→生命力豊かな健康な植物(穀物、野菜類など)─→健康な食べもの(正しい食べもの・正しい取り合せ、正しい料理法、正しい食べ方)─→健康な血液─→健全な身心(健康な青年男女)─→健全な精子・卵子─→健康な子供─→健全な食欲と快眠快便─→医薬品・農薬・化学肥料飼料不要の生活─→健康な土─→……

これは実に無駄のない簡単明瞭なライフサイクルです。悪循環は悪循環を生み、好循環は好循環を生むのでした。何をどう食すか、この基本的な出発点が問題だったのです。

私は主食を変えることによって悪循環の鎖の輪から脱け出させてもらい、好循環の生活サイクルの仲間入りをさせてもらえたのです。私の知り会ったお百姓さん達は、私や私の仲間達が本物の農作物を熱心に求め喜ぶので、健康な土づくりに励み、本物の穀物や野菜づくりに一所懸命です。お百姓さんもその方が嬉しいのです。彼らにしても土地が肥え富むのを見るのは金銭に代えがたい喜びと生き甲斐の源泉です。土地を疲弊させながら本意ではないゴマカシの農業をして、マヤカシとインチキの作物をこしらえあげて換金するだけの農業は自己否定の農業なのです。しかし、市場や業者が規定する工作物のようなものでないと通用しないとなれば、不本意でも市場と業者のためだけの農業をせざるを得なくなります。

最近はこの様子がいくらか変化してきました。消費者が本物を求めるようになってきたのです。本物と偽物と、まだ正当な評価がなされる域には達していませんが、正しい価値体系が確立されれば、お百姓さん達は一層農業に誇りと喜びを持って専念できるのです。本物の値段と、偽物の値段の違いを、消費者と政府と市場業者と生産者が一体となって、一日も早く確立したいものです。

生命力豊かな食べもので健康を確立する、これこそ自立更生の基本です。主食を玄米に切り換え、少量の野菜と海藻類と調味料で、健康も家計も順調です。薬と医者の世話になれる自由や義務があるのと、薬や医者の世話にならずに済む自由とでは、同じ自由でもまるきり違います。これを金銭で計るなら、恐らく国民総医療費の三分の一から二分の一の相違、すなわち、十数兆円は医療の鎖から解放されて自由になれる金額です。生命力豊かな新鮮な食べものを正しく食すおかげでこれだけの節約になるのですから、これをそのまま農畜産物の正当な価格体系づくりや正しい農業のために転用したら、私達の健康と生活は一段と守られることになるはずです。病気を治すために使うより、病気にならないために使う方がどんなに価値があるか、それは考えるまでもないことです。この出発の原点が、消費者が何をどのように食すかの選択にあるのですから、私達が賢くならなければ自立更生も世直しもできないわけです。

玄米を主食にしなくても好循環する生活サイクルを獲得できないものかどうか、私は研究してみました。特に、現状の白米主食のままですべてのライフサイクルを好転させられる方法はないものかと考察してみたのです。白米を主食にしながら、現代の栄養学方式の生活で、いつも健康で不都合も不自由もなく生活している沢山の人々をみるにつけ、すべての人達がそのようになれないものかと研究してみました。その結果、次のことが明瞭になったのです。

白米を主食にしようと、白パンで肉を主食にしようと、栄養学があろうとなかろうと、何を飲み食いしようと、いつも健康で丈夫でいられる人達は、揃いも揃ってみな共通して、丈夫な胃腸と内臓と健全な体質を生まれながらに授かっているということでした。この世への出発点が優れているのです。その両親や先祖が、丈夫な胃腸と優秀な体質を子孫に遺してくれたおかげで、彼らは健康に苦悩のない人生を歩んでいられるのです。出発点の優れている彼らを真似たり見習っても、出発点の劣っている私達が追いつける道理はないのでした。出発点の劣っている者は、道理にかなった追いつく方法と努力をせねばならないのです。その道理にかなう追いつき追い越す方法が、玄米食という結論になるのでした。白米と栄養食ではさまざまの欠陥を修正しきれないのです。

これほどによい玄米食がなぜ世間一般に広く実用化されないか、この原因の大きな理由として、生まれの出発点の優秀な人達は決して玄米食を必要としない生理を恵まれていることにもあったのです。何を食べても健康で丈夫でいられれば、選りに選って玄米を食すことはないでしょう。生まれながらに健康な人であえて玄米主食をする人があるとすれば、それは玄米食の意義を正しく認識して食しているのに違いありません。

一般的に玄米食は弱者のための自立更生の基本法と考えてよいかもしれません。いつの世の、どんな社会でも、強者と強者の理論が正義でした。生まれという出発点が優秀な人ほど強者となり得たはずですから、その強者には玄米も玄米食の理論も不要でした。不要どころか、強者にとっては弱者をして強者たらしめる必要はなく、弱者が自立更生できなくても特別困ることではないに違いありません。どんなに不合理や不経済がある生活サイクルの繰り返しであっても、弱者の存在によって強者の機構体制が成り立つのであれば、強者には不都合も不自由もないことです。このような理由で玄米食が国家的見地から真剣に実用化、実践される努力がなされないのかもしれません。もちろん、このような理由よりも何よりも、今までは玄米をおいしく炊いて食べることができなかった、ということが最大の欠点でもありました。そのことを別にして、生まれという出発点の優劣によって玄米食の受けとめ方がかなり異なってしまうのは確かです。

私は実際に病弱だったし弱い人間でもあるので、自分を弱者と表現するのもされるのも何らさしつかえありません。この弱者が玄米食のおかげで徐々にでも健康の強者の方向へ仲間入りできつつあるのを実感するのは嬉しいことです。玄米食には病気を治して健康を回復させる力と方法があるだけではなく、私という人間を強める力も、家庭の経済を強める力も、国の体質や経済を強める力もあることが確認されます。

主食の違いによって生じるライフサイクルのメカニズムが鮮明になりました。白米主食のライフサイクルは欠点や欠陥が多すぎるので、最近は白米を食べない傾向が増加してきているようです。白米主食の生活サイクルから白米だけを除いた食生活への移行です。米ばなれをして肉食を増やす食生活への移行です。この結果は、白米主食の悪循環よりもさらに一段と深刻な悪循環の鎖を首に結えつけられることになります。日本の風土で肉を白米代わりにする食生活、これは悲劇と不経済の出発点です。抜き差しならない悪循環のはじまりといえるでしょう。

「日本人の肉類による動物性蛋白の摂取量は欧米人に較べればまだまだ比較にならないほど低いから、日本人にはまだ肉食の許容量が大幅に残っている」という意見や説がありますが、それは気候風土と人間の生態学的・生物学的・生理学的秩序を考慮していない偏見というしかありません。気候風土の異なる民族が画一的な生活をするのは不合理なことであり、比較対照したり真似すべき性質のことではないはずです。人間はそれぞれの風土が生産する食糧の範囲から必要とする栄養摂取をするのが宇宙の秩序に順応した自然の法です。

肉中心の食生活が進行すると、私達は次のようなことを覚悟しなければならないでしょう。ガン、心臓病、糖尿病、精神病などの病気と病人はさらに急増します。肥満が進み、体力は低下するでしょう。肉は砂糖を要求し、肉と砂糖は相乗作用によって悪性ガン化体質を促進するとともに、ガン化体質は刺激を欲求します。青少年の喫煙、飲酒、麻薬の常習による犯罪行為や衝動的暴力行為などの多発、離婚による家庭の崩壊、心身の健康に障害を持つ老人の増加など、これらすべてはアメリカなどの先進国で起こっていることです。私たちはこれらの崩壊現象を維持し促進するために、日夜働き悩み続けなければならなくなるでしょう。

アメリカでは国家の存亡にまでなりつつあるこの悪循環を何とか断ち切るために、植物性食物(穀物・野菜・海藻類)を主体にする食生活改善が政府指導のもとにはじめられています。欧米先進諸国では肉食離れをして「マクロビオティック」と称する玄穀を主体とする食事法が静かなブームになっています。日本では米食離れで肉食へ偏向中です。白米主食よりもさらに悪影響と悪結果の大きい肉主食サイクルが動き出しているので、日本と日本人はまだしばらくの間、病気など苦悩と浪費の不経済な奴隷的生活を体験せねばならないのかもしれません。気の済む食体験をひと通り経てみなくては、わが国の伝統的な食生活の中に自立更生の道と方法のあることが正しく理解されないのかもしれません。

米の夢、私の夢

一人が一年間約一〇〇キロの米を食べると、日本人は毎年新しい米を食べ続けられることになります。一人が一年間約一〇〇キロの米の量とは、一日二食、すなわち朝夕の食事に普通の食欲でごはんを食べる場合の量に過ぎません。

私は朝夕の二食を、子供達は朝と昼の弁当の二食が玄米ごはんです。一日三食を三食ともごはんでは身体に重く感じます。三食のうち一食は、麺類とかパンなどの粉食です。わが家の米の消費量は子供達の成長に比例して増加しています。しかし主食の増加といっても米の値段はその貴重さに較べると他の食べものとは比較にならない安さですから、家計への影響はたいしたことではありません。政府の米消費拡大運動にわが家は全面的に協力して一所懸命にごはんを食べ、何とかいつでも新米を食べられるようにしたいと願っているのです。

玄米を正しく真剣に一所懸命に食べる人が二人になり、四人、八人、一六人、三二人となり、さらに一〇〇人、一〇〇〇人、一万人となり、さらに一〇〇〇万人、一億人となったら、これは大変なことになります。

まず第一は、私が願っている通り国民は誰でも毎年毎年新米を食べられ、新米は生命力豊かですからおいしい上にさらに健康増進に役立つことになります。一〇〇〇万トンから一二〇〇万トンの米が規則正しく消費されれば、古米だ古米だといって年々増大する古米の保管料も、有事用備蓄米だけの費用で済ませられることになります。米自身にしても、何年間も倉庫に押しこめられた禁固処分や、動物の飼料や工業用糊などに転用されるのはまだよいとして、砕かれてわけのわからない加工材に混合されたり、何の目的もなく廃棄されてさんざん迷惑がられる言葉を浴びせられるのはかわいそうでなりません。

第二は、第一以上に大きな問題です。お米を正しく真剣に一所懸命に食べるならば、一〇年以内に病人や不健康人間を減少させることができます。一九七八（昭五三）年度の国民総医療費が一〇兆四二億円、国民一人当たりにして八万六九〇〇円の支出負担ですが、この費用を毎年約半分以上節約できるようになります（一九九九年度の国民総医療費は三〇兆九三三七億円、国民一人当たり二四万四二〇〇円になっています）。わが家は玄米ごはんを一所懸命食べるおかげで、この一〇年間余りは医療費のための支出がゼロに近くなっています。玄米食以前の時代には想像もできないことでした。

第三は有害食品に類するあらゆる食べものや不自然な食糧、それらを加工製造したり、輸入し保管し流通させるためのあらゆる関連エネルギー、それらのほとんどが不要となって節約されることになり、この費用も数千億円かに相当するはずです。

次はこの浮いた費用の活用です。国の借金を返済した後、この費用をどう運用するか。

まず第一番目の夢。お米によって生み出された財源ですから、お米に還元することからはじめるべきでしょう。米の価格体系の整備、新しい正しい食管制度施行のための財源にして、政府は健康な血液をつくる品質優秀なおいしい米に対しては十分な価格で買い上げ、それを玄米で食米とする消費者には最低値で売り渡す制度を確立したいものです。生産者は一所懸命においしくて品質のよい米づくり土づくりに励め、消費者は一所懸命に最高においしいお米を食して健康を確立し、浪費が浪費を惹起し誘発するような悪循環の生活パターンと無縁の国民生活をすることができます。玄米でなく五分づき米を食べたければ搗精費プラスアルファを消費価格とし、胚芽米は胚芽米なりの価格に、白米は嗜好品として浪費悪循環生活を招く代償に割高になってもしかたないことです。

主食以外の食糧や食べものに関してもまったく同じ考え方と方法が適用されます。季節ごとの自然栽培や有機農業による農畜産物は、生産者価格は最高に、消費者価格は最低にして、主食の米とともに国民の健康と経済が保全され安定するのを促進する施行としなくてはならないでしょう。このような政策が実施されてはじめて、国産食糧が愛用されることによって国民の生活と健康が一層安定し、正しい農業の振興による自給自足体制が確立されるキッカケと前提条件ができることになるわけです。外国からどんな食糧や食べものが輸入されようとも自由主義社会においては仕方ないことかもしれません。しかし、異国、異風土の飲食物は、姿こそ変われ生命を脅かす武器と同じです。それを放置放任することは、国民の健康と生活の安全を守る上から許されないことです。それらのすべては嗜好品としての等級を定め、高額な特別税を付加してその飲食を自由にすべきでしょう。

ドイツなどの賢い家庭では、他国の食品を日常の食卓にのせてはならないという言い伝えがなされています。排他主義から出た言い伝えではなく、身土不二の生命観にもとづいた正しい食事観であって、〝まず健康〟という思想に立脚しています。

第二番目の夢。玄米食給食の実施です。玄米食（あるいはそれに準ずる搗精米）給食は無料にしてすべて国と地方自治体の負担とする。これくらいのことをしてもお米を正しく食べることの効果は計算しきれないほど大きいのですから、この財政負担に脅える必要はないでしょう。わが国の伝統的な食べものと、輸入されたり移入された異風土の食べものとは、必需品と嗜好品との明確な格差を設けて給食費の中でさえそれは実施されるべきです。

学校給食でこの実践が不可能なら、私は全国に一校でも二校でもよいから、お米と伝統食による全寮制の自由学校をつくりたいものです。自作自営農業のできる広大な田畑山林を持ち、自給自足のできる学校で、自由な勉強をする。米とわが国の伝統的な食べものだけで立派な青年男女が誕生することを証明したいのです。青年男女の血液が病的で虚弱になりがちな社会生活と環境ではわが国の将来に光明は期待できないでしょう。その環境や条件づくりは大人の責任です。お米を正しく食べる生活、わが国の伝統的な生活によって間違いなく心身の健康な青年が形成される証明をする必要があるのです。お米の実験学校ともいえます。私は国営でこのような学校が設立されることを願ってやみません。

自給自足生活の実践の根幹には、必要な栄養をお米で十分摂取できる米の正しい食べ方、料理法、取り合わせの実用生活法の知恵と技術が不可欠です。この自由学校では、日本と日本人に必要な生活法の知恵と技術を実修するのです。

第三番目の夢。玄米をおいしく炊き上げられる圧力自動炊飯器の開発です。わが家では普通の圧力釜でおいしく炊いているので自動炊飯器でなくても間に合っています。私の個人的見解では、何事も便利な自動化は歓迎しません。手工的技術はできる限り実用し続けるのが能力開発のために大切で、炊飯もあまり自動化や機械化されない方がよいと考えます。しかし玄米食が普及しない最大の障害は家庭において玄米をおいしく炊けないことにあることを考えると、誰でも簡単に玄米をおいしく炊ける自動炊飯器の必要なことが痛感されてなりません。玄米を食べたことがないのに、あんなまずいものは食べられないという先入観にとらわれている人がほとんどです。玄米食を実際に食べてみると、誰もが意外においしいことに驚きます。正しいライフサイクルを取り戻すためなら、多少の便法を用いても偏見を取り除く第一歩に、圧力自動炊飯器の開発と実用化を待ち望むのです。白米用の電気自動炊飯器の出現は、わが国の戦後の食生活に一大変革を生みました。食生活ばかりではなく生活様式そのものにまで一大変化をもたらすキッカケになったのでした。豊かな生活への第一歩だったといえるかもしれません。モノの豊かな時代を開く象徴的な家庭電化用品の尖兵でした。

私達はいまモノの豊かな時代から心の豊かさの時代へ進もうとしています。心の豊かさの時代を迎える尖兵が、他ならぬ圧力自動炊飯器です。これは現代生活に一大革命を惹き起こすことでしょう（二〇〇二年現在、電気圧力炊飯器はすでに実用化）。

第四番目の夢。「国民総おむすび（おにぎり）を食べる日」を制定すること。おむすびほど米食民族にとって健康的で経済的な食べものはありません。他のどんな食品を持ってきてもかないません。おむすびといっても、ちょっと頭を働かしさえすれば、実にさまざまな、おいしくて栄養的にも問題のない、楽しい食べものにすることができます。

両手で結び固める、あるいは握り締めるという働きが、計数では証明できない不思議な生命力をおむすびに付加します。主婦が握り結ぶもよし、亭主が握り結ぶもよし、親子親戚一同で握り結ぶもよし、隣り近所一同で握り結ぶもよし、おむすびは健康的で経済安定の源泉のひとつとなる食べものです。

「国民総おむすびを食べる日」には、家庭や学校が第一番におむすびにするのは当然として、食堂でもレストランでもホテルでも各給食センターでも、この日はおむすびの腕の見せどころです。私は祝祭日とか、夏祭りとか、秋祭りとか、体育の日とかのどれかを国民総おむすび弁当の日とできたらと考えるのです。高いお金をかけてクスリ漬けのような食品の寄せ合わせ的な弁当類を買うとか、手間ヒマかけて見栄えする割にはバランスのとれないご馳走をつくるとか、弁当の優劣が隣り近所の競争心の種になったりとか、そのような不健康不経済をすべて解消するわが国の伝統食「おむすび」を、これからの時代はどんどん活用したいものです。

また統一した日に国民一斉に食せないにしても、たとえば共同の行事の弁当はおむすびという国民的風習をつくり上げるのでもよいのです。祭りの弁当を何にするか、どこの食堂、どこの仕出屋、どこの菓子屋に頼むかどうかで喧嘩になって、せっかくの祭りが台無しになったなどという話をよく聞きます。食を金銭的な利害得失の観念でしか考えないと、とかく不愉快で、しかも不健康で不経済な結果に終りがちです。そんなことより、祭りにはおむすび、遠足や運動会はおむすびという簡素で健康的で経済的な弁当を公式にしようではありませんか。

第五番目の夢。これは私自身の個人的な夢です。私は健康になりたい、丈夫になりたいばかりに玄米食を食べさせてもらってきました。そして幾度も失敗を繰り返して、同じような病気をしたり怪我をしながら、どうにか人並みに歩調を合わせて生活できるようになったのです。手の甲にできていた永年のイボが薄皮を剥ぐようにポロリと自然にとれてしまったり、コメカミにできていたイボ状のソバカスがポロリとれてきれいに消えたり、フケがピタリと出なくなったり、こうした目に見える現実の変化をいくつも確認しました。そこで今度は、紙のいらない大便をできるようになること、これが目標です。私の省エネ、資源節約運動です。トイレットペーパーを節約したいがための目標ではありません。トイレットペーパーの節約にもなりますが、もっともっと大きな節約、私の全生活の節約バロメーターが排便によって観察できるからです。

紙を幾重も必要とするような大便は、体調に適応しない不合理、不経済な飲食や生活のあったことの証明です。体調に適応した的確な飲食と生活ができていると、紙不要の大便となるのでした。そうすれば最低限の紙使用で足り、健康も経済も節約です。しかも気分爽快ですから、こんな結構なありがたいことはありません。大便は健康のバロメーター、健全な生活の証明書です。自然に順応した生活を身心ともどの程度実践しているか、お腹の自然環境をどの程度保護し整備し確立できているか、これらすべての健康と経済の無言の証明書です。いつも合格証を交付してもらえる生活と体調を実現したいものです。

私はこれを家族全員にも期待するのです。日本人全員が紙のいらない黄金の大便をするようになれば、それは日本の再生です。病気も病人も激減、浪費的な出費や労働も激減です。このような大便なら最高の肥料にもなります。水に流してしまうのはもったいないほどです。かといって、ただ単に昔の生活様式に還るのがよいはずはありません。現代の文化的生活様式の中に、最も合理的な自然環境保護と、自然環境づくりと、自然流生活を確立したいものです。そのために毎回、紙不要の大便のできる身体になりたいと夢みるわけです。

文明社会という大きな檻の中で、人間はどこまでどの程度自然とともに生きられるのか明らかではありませんが、生命リズムは宇宙大自然の生命リズムに生かされ、それとともにあるかぎり、野性の生命リズムが健康的に脈うつ程度の野性は十分保持していたいものです。せめて紙不要の野性的大便のできる人間でありたいのです。

次の世代への遺産は何か

近年世界的な話題となってきているものに安楽死の問題があります。裏を返して考察すれば、医療の限界を表明しているに過ぎません。さらに勘ぐって考えるなら、科学医療が高度になって人間の生死が不自然となり、それにともなう苦痛や苦悩が増大していることの表明にもなります。生を保証するために進歩に次ぐ進歩を競争しぬいてきた現代医学と医療が、安楽死によって処置し解決しなくては医学的責任やケジメをつけられなくなってきたことを表明しているといえなくもありません。不自然な生を技術の総力を結集して保証し続けようとした代償として、不自然な死を安楽死という聞こえのよい表現によって正当化しようとする時代の趨勢となっているのです。

ところがこんな問題は、すでに大昔から、自然界では解決ずみです。自然界ではこと改めて安楽死という表現をせずとも、自然死という安楽の死が当たりまえの自然現象のひとつとして問題にもならなかったのです。不慮の災難や事故や戦争による死は別としても、自然に生活していたために苦痛や苦悩に責めさいなまれる不自然死をしたというのは少なかったようです。自然に生活して、自然な死を迎えるというのが自然現象です。現代は不自然に生活しているがために不自然な死を迎え、その不自然さを安楽死に肩がわりしてもらおうという時代になったようです。

現代という環境においても、犬でも猫でも、ねずみも鳥も、その他自然界の多くの動物達は死期を迎えると静かにその準備をし、静かにその姿を隠したり消してゆきます。動物達のひとつひとつの死が果たして安楽死か苦しみの死かどうか、それらを確かめ知るよしもありませんが、自然界では生死は自然現象のひとつとして静かに生起消滅しています。

人間社会は文明が進歩して自然死がなくなって、その代わりに安楽死という名目の死を代用しようとしている、人間の文明化とはそのようなコトだったのでしょうか。科学技術の開発推進とは、人為的な死をつくり出すということだったのでしょうか。文明とはいったい何なのでしょう。

私はほとんどの老人から、死ぬならポックリ死にたい、さんざ痛かったり苦しんで死ぬのはいやだ、また、生きてるのか死んでるのかわからない状態で息してるだけで生き永らえてるなんてゴメンだという意見をよく耳にします。この意見は老人に限りません。若い人達でも同じ気持ちです。要するに誰もが不自然な死に方ではなく、自然な死に方を希望しているのです。

こう考えてくると人間の身勝手さ、わがまま、傲慢さがよくわかります。同時に、何事も自業自得の結末となることがよくわかります。

私達は自然に生きるのがよいか、不自然に生きるのがよいか、あるいは、時には自然に、時には不自然をもためらわず己れの都合のよいままに生きるのがよいか、どのように生きるかは私達自身の選択いかんです。

私は人間の一生を次のように考察してみます。生まれるまでの健康と平和（幸福）はどのようにしたら実現されるか、生誕時の健康と平和はどのようにしたら実現されるか、生きてる間の健康と平和はどのようにしたら実現されるか、死する時の健康と平和はどのようにしたら実現されるか、そしてこの各段階を共通して健康と平和を実現せしめる生き方や生活法はどのようなものか。この考察と私的体験を通して、私はできる限り自然とともに自然に生きること、宇宙の秩序と法則に随順して生きること、日本で日本人として生きるならお米とともに、お米を正しく食す真生活を実践するのが最も自然であると考えるのです。

私は次の世代への遺産として、子供たちにお米を正しく食す真生活法を伝授し遺したい。お米を正しくありがたく食す国民があれば、おいしい健康なお米を一所懸命に生産してくれる次代を背負う農業者が必ず農村にとどまってくれる、このように期待するのです。私は現代のこの都市化した日本の国土の中で、自分の子供たちに農村へ行って自然とともに自給自足の生活をせよ、などとは遺言しません。それがいかに理想的な生活を可能ならしめてくれるように思えても、そのような生活は万人が実現できることではないでしょう。万人向きでない理想を、わが子だけに選択させたとしても、それは次の世代全員への遺産としては成り立たないことでしょう。

それよりも何よりも、生きる万人がすべてなさねばならない食べるということを、日本人であるからにはお米を正しく食べるという食事法と生活法を、しっかりと遺したいのです。原子力を平和的に利用する科学技術よりも、病んだ者をあの手この手で息させておこうとする医療技術よりも、まず第一に健康な血液を持った人間として誕生し得る食生活法をこそ次代へ正しくしっかりと遺したいものです。

親として友として

子供にまで玄米食をさせることに対して、私はさまざまな意見やら忠告、文句を受けます。親によいからといって子供に強制するのは親の横暴だと、暴力だと。自分によいからといって子供に押しつけるのは子供の自由を剥奪することだと、子供の自由意志を尊重しなくてはいけないと。子供に玄米食をさせるのは果たして異常なことでしょうか。よくないことなのでしょうか。親が毎日食べる食事を子供にもさせるのは本当に親の横暴でしょうか。子供は自由を侵害されているのでしょうか。

親として子供に何をなすべきか、子に対して親とは一体何なのか、娘を死なせかけてしまった時、私達は子供達を立派に育てる生活法をまったく知らない状態でした。健康に育てたい、幸せになってほしいという気持ちはあっても、それは気持ちだけだったのです。気持ちがあれば愛情があることなのでしょうか。愛情とは子供の意志を尊重し、子供を自由放任にしておくことなのでしょうか。

朝夕毎日通る駅前通りに、この数年の間に、ハンバーガーやフライドチキン、ドーナツなどの、ファーストフード店やコンビニが次々に開店しました。その店が、朝夕とも、通勤通学の若い男女で満員です。若者が最も愛好するような飲食物を狙って売っているのですから、そこに沢山の若者達がタムロするのは当然かもしれません。

私は毎朝夕これらの店の前を通るたびに、悲しい気持ちになります。そんなに不愉快なら、その道を通らなければよいのかもしれません。しかし私は毎日同じ道を通り、店の光景をのぞきこんでしまうのです。

わが国の伝統的な食事を知らないで、また知らしめないで、外国流儀の簡易軽食を好むがままに食となさしめる、それが親の愛情であり、子の自由であるかどうか、私は理解できないのです。こうした自由によって、日本の若者達の健康が日々退化し低下していくのではないか、私はそのように心配してしまうのです。家庭で満足な食事をせずに、手軽で口当たりのよい飲食物を食事代わりとする、これがたとえ毎日ではないにしても、私には健康な赤ちゃんを生む身体の条件と体内環境が一食ごとに蝕まれ損われていくように思えてなりません。身体と心をじわじわと蝕み損なう生活や社会、それはどんなに豊かで平和的に見えようと、暴力的な生活や社会ではないでしょうか。

赤ん坊が奇形児や身障児になりながら刻々と生まれつつある。これも自由なのでしょうか。かつて、猿社会で奇形猿や障害猿などの発生が増大しました。人間社会も同じ現象がはじまっており、これらの傾向は今後ますます強くなりそうです。こうした異常現象の発生を放置しておいてよいはずがありません。

私は玄米食をすることによって娘を救われ、自分も丈夫になれて、まず食事、まず日々の生活こそ健康と幸福を確立する基本であり、それではじめて子供達に最大の自由を与えられることを学べたのでした。勝手気ままな飲食をさせ、勝手気ままな生活をさせておいて、具合が悪かったらすぐ医者や病院へ、医者や病院ではすぐに薬や注射を、これこそ親の横暴ではないでしょうか。

駅前のファーストフード店での若者達の買い食いの光景を眺めて、この自由放任の無秩序な飲食と生活が、健康を欠いた赤ちゃんの出産につながっているように私にはみえます。もちろんこれは全生活のほんの一端に過ぎません。秩序を失った生活が社会全般に横行しているので、それらをひとつひとつ指摘していたらキリありません。ただ私は、親として最低限の義務と責任を果たしたいがために、子供達に食べものと食事の秩序を確立するために玄米食を食べさせるのです。私の子供達ばかりではなく、できることなら多くの家庭で、一人でも多くの子供達に玄米食による秩序ある生活を実践してもらいたいのです。秩序ある生活の中で、自由にさまざまな冒険をしてもらいたい、私がすべての子供達に願うことです。

増補改訂版のために

はじめて玄米食をする人への十の提言

私の玄米食生活も、かれこれ三五年余となります。三五年前と現在（二〇〇二年）とでは、食糧事情や食生活環境はずいぶん違っています。まして、桜沢先生の『新食養療法』が書かれたのは大正から昭和初期にかけて（一九一〇〜三〇）です。それをそのまま参考にしようとしても、通用しないところがあります。

とくに体質の変化という点では、明治、大正、昭和初期と、戦後、平成の現在とでは非常に大きな違いが生じてきています。例えば、五〇年前の日本人は老人でも子供でも、硬い食べものを十分に噛み砕けました。しかし、軟らかいものばかり食べ慣れた平成の日本人は、硬いものを噛み砕けない。歯も胃腸も虚弱になってしまっていて、体質もそれに準じて弱くなりました。

玄米食自体のことを考えても、私がはじめた頃は、玄米食を簡単に実行できる環境ではありませんでした。玄米を手に入れるのも大変で、炊飯のための圧力釜や圧力鍋などの使い方も難しく、やっかいなことばかりでした。

ところが、現在は、玄米を入手するのも炊飯器などの調理器具も至れり尽せりの環境です。虚弱な病気体質や慢性病体質を玄米食によって改善するには、大変都合のよい、実行しやすい時代になったわけです。

玄米食によって、正しい体質改善をしましょう。正しい体質改善をして、病気に強い身体になりましょう。「病気に強い」というより、病気などに縁のない身体の生活者になりましょう。

そのための「玄米正食基本の十の助言」を記します。

一　玄米は無農薬、有機肥料、できることなら自然農法米を入手する。野菜や海草などの食材、調味料なども自然食のものを用いる。
二　炊飯には、圧力釜圧力鍋など、十分に圧力のかかる、なおかつ調整のきくものを選ぶ。
三　玄米ごはんは、おいしくおいしく炊けるようになるまで、練習と工夫を重ねる（最初の一週間は誰でも失敗する)。必要によっては、正食料理教室に通い、正しい料理法と食知識の習得をする。玄米ごはんをおいしく炊けるかどうかは、「いのちへの愛情のバロメーター」といえる。炊くときには塩を少々入れる。

四　玄米正食には次のごときものは一切摂らないほうがよい。体質を改善し、慢性病や難病治療を志す人は、摂るべきでない。

- 動物性食品(牛乳、乳製品、卵、卵入り製品なども含む)
- 輸入食品
- ファーストフード類
- 砂糖、砂糖入り食品、ハチミツ、メープルシロップ、人工甘味料入り食品
- 果物
- じゃがいも、さつまいも
- 酢(梅酢は可)
- アルコール飲料、清涼飲料、発酵乳飲料、酵素飲料など
- 化学調味料、化学添加物入り食品、インスタント食品、市販の即製化学加工味噌醤油、精製塩など

これらは健康に十二分の自信がつくまで摂らないこと。一生摂らなくてもよい。
五 玄米食開始の一、二週間の食事量は、過去の常食量のほぼ半分を目安にする。その後は腹七、八分目とする。

一日の基本的な献立の一例（一日三食の場合）

〔朝食〕
玄米ごはん（ごはん茶碗に軽く一杯）
みそ汁（軽く一杯。昆布だし、ときには干し椎茸を併用してもよい。具はわかめに玉ねぎ、長ねぎ、大根のうち一種と油揚げが基本）
副食：梅干し、ぬか漬けたくあん二切れ。梅干しの代わりとして黒ごま塩（黒ごま八、塩二をすり合わせたもの）
飲みもの：番茶、玄米ほうじ番茶

〔昼食〕
お弁当の場合
おむすび二個（茶碗一杯分を二個にむすぶ）
副食：梅干しか佃煮昆布などを芯に入れ、のり巻きにする。ぬか漬けたくあん二切れ、野菜と昆布の煮しめ、きんぴら、ひじきれんこん、切り干し大根などのうち一品。
飲みもの：番茶か水
外食の場合
男性―煮込みそば
女性―煮込みうどん
〔夕食〕
昼食が玄米ごはんやおむすびだった場合
そば、うどん、ほうとう、スパゲティなど麺類。
昼食が麺類の場合
みそ汁かるく一杯（なくてもよい）
玄米ごはん（茶碗にかるく一杯）
副食：黒ごま塩、たくあん二切れ、きんぴら、ひじきれんこん、切り干し大根煮（高野豆腐、ひじき、油揚げなどを入れてもよい）、佃煮昆布、野菜（大根、にんじん、ごぼう、れんこんなど）と昆布の煮しめなどのうち一、二品。副食の目安は、ごはん三口に一口の割合。
飲みもの：番茶、玄米ほうじ茶、水

六　食べ方、飲み方

玄米ごはんの食べ方は、一口（自分の手の親指第一関節の分量）を百回以上よく噛むこと。一口入れるたびに箸と椀をおく。噛み終るまで箸を持ってはいけない。

飲みものは噛むようなつもりで飲むのがよく、一気飲みはいけない。飲む量は、湯、茶、水、すべて欲求の最低量にする。一日の小便の回数が、男は四回、女は三回を目標とする。五〇歳以上は五、六回になってもよい。

七　よく働き、よく歩き、よく笑う

食べた玄米ごはんがよく消化吸収され、よく燃焼し新陳代謝するには、よく動き、よく働き、よく歩き、よく奉仕（ボランティア）し、よく笑って過ごすことが必要。金をかけてスポーツや体操をする必要はない

八　大小便で日々の飲食の正否を判断する

大便は一日に一〜二回。排便後、紙が不要なくらいスカッとした快便を目標とする。各自の過去の胃腸の状態にもよるが、日々の飲食（食生活）が適正であれば、玄米食をはじめて六カ月後、あるいは一、二年後には快便となる。普通の便秘症は一、二週間で治る。

大便の色は黄茶色がよく、宿便や古便は黒褐色やピンク、白などになる、緑便、軟便は、一

般的に食べ過ぎ（相対的摂取量が過剰）、飲み過ぎ、おかずの分量が多い、噛み足りないなどのシグナル。快便になるまで日々の飲食を調整すること。時には定期的に断食、半断食するのもよい。

九　ビタミンやミネラルなど保健栄養剤や医薬品、健康補助食品（サプリメント）などに誘惑をおぼえる時は「手作り玄米スープ」をオススメする。

作り方（一日二回分）

ビタミンミネラル剤としての玄米スープ

かるく洗って乾かした玄米一握りを、乾いたフライパンか鍋でから煎りする。ぷーんと香ばしい匂いがしてきて、玄米がきつね色になったら小ぶりの鍋に移し、三、四カップ（六〇〇〜八〇〇cc）の水を入れ中火で約二〇〜三〇分煎じる。煎じ終えたら、すぐに漉《こ》して、ポットか瓶に保存する。一回に飲む量は一五〇〜一八〇cc、飲むときに少量の塩、醤油、梅干しなどで味付けしてもよい。漉して残った玄米は、お焼きやお好み焼きにしてもよいし、チャーハン風に野菜炒めなどに活用できる。

栄養補助・強壮剤としての玄米クリーム

既成の玄米クリーム大サジ一、二杯を一回分として一五〇〜一八〇ccの白湯に溶き、塩か醤油、味噌、てっか味噌、梅干しなどで適度に味付けして、熱いうちに服用する。食間一日二回程度でよい。

十　こころの持ち方として、「あわてず、あせらず、あきらめず」。繰り返し繰り返し試み、反復継続することが成功のコツ。

体質改善や病気の治癒は、一気に実現するものではない。体質も病気も、家系や両親の食歴や生活習慣、胎児中の生活環境や出生後の食生活などが複合作用して形成されている。これらを改善し病気を根治するには「悔い改め＝食い改め」しかない。一朝一夕になるものではない。ちょっとした体調の変化にあわてたり、一喜一憂したり、「早く病気を治したい」、「〜治らないか」とあせったり、「玄米食で本当に治るのだろうか、現代医学のほうが優れているのではないか」と、あきらめたりするのは、自己体内の自然治癒力、および自分を生かし守ってくれている神々への不信と裏切りにほかならない。自分を生かしてくれている神々、自分を治そうとして絶え間なく働いてくれている自然治癒力を全幅信頼せずしてどうして根本治療されようか。

自分を生かし守ってくれている神、および自然治癒力に依存するには、「あわてず、あせらず、あきらめず」のこころでおまかせが一番。おまかせして自然治癒力が働きやすい条件と状態づくりに専念する。まずは「安静」と「玄米正食」が基本となる。

乳幼児のための玄米食

乳児には母乳が最良なのはいうまでもありません。母乳こそ赤ちゃんの唯一最高の食べものです。

でも、母乳の出ないお母さんがいます。出ても質の大変悪い場合があります。なぜ母乳が出ないか、なぜ質が悪いかにはちゃんとした理由があるのです。ごく簡単にいえば、母乳が出ないのは、出なくするような生活をしてきた結果であり、母乳の質が悪いのは、悪い質にならざるを得ない劣悪な（食秩序をはずれた）食生活をしてきて、現在もなお悪い食生活をしているからです。母親、父親ともども子供の頃から正しい食生活をしていれば、母乳が出ない、質が悪いなどということは決して起こることではありません。

しかし我が国では、敗戦後から今日まで、母乳の出ない、出ても質の悪いという体質づくりを官民（政府と企業と国民）こぞって志向してきているのです。母乳の問題のみならず、不妊やアレルギー体質、アトピー性皮膚炎、ぜんそく、小児糖尿病、その他の難病奇病、さまざまな障害児の発生しやすい環境に堕落しているので、個人の責任と問題とばかりには決めつけられません。食の正しい秩序を取り戻さない限り、これらの問題をも含め、母乳の問題を正しく解決することはできません。

しかしここでは、赤ちゃんは生まれているけれど母乳が出ない、母乳は出るけど質が悪い、その場合に関してのみ取り上げます。

わが家の玄米食は、まさに母乳問題からはじまったのでした。はじめに書いたとおり、母乳の質の悪さを娘は私たちに知らしめ、玄米によって娘もわが家も正しい食事に甦ることができたわけです。

私達が子育て中だった昭和三〇〜四〇年代は、ミルク崇拝のミルク全盛時代でした。産科医自身が「母乳よりもミルクの方が成分は優秀」と礼賛し、推奨し、母乳の十分に出る母親にさえミルク授乳をすすめたものです。ですから母乳が出なくても、ミルクを与えさえすれば赤ちゃんは育つことが一般常識となったのです。

しかしその後、森永ヒ素ミルク事件が発生したり、良識ある学者や医師の尽力によって、母乳の優秀さが理解されるようになって「母乳育児」がようやく常識として定着したのですが、これとてごく最近のことです。「赤ちゃんには母乳が最高の食べもの」なのですが、出ないことには授乳できません。ただ単に赤ちゃんが育ちさえすればいいという考えなら、ごく一般的な常識にしたがって人工ミルクで結構です。しかしここでちょっと思考するお母さんとお父さんなら、「母乳と人工ミルクはどのように違うのだろう?」「なぜ人工ミルクより母乳の方がよいといわれているのだろう?」「なぜ自分は母乳が出ないのだろう?」の疑問を持つはずです。

かつて現代栄養学を盲信していた私達は、人工ミルクを唯一無二の母乳代わりと信じて、熱心に娘に与えたのですが、生後三カ月にも満たない娘は猛然と拒絶したのでした。そしてのちに理解したことですが、娘の判断の方が正しかったわけです。

人工ミルクは牛乳を原料としています。牛乳は子牛のためのものです。人間の赤ちゃん用にいかに精妙に改良改善したとはいえ、その成分は子牛のためのものです。人間に飲んでもらおうと分泌しているのではありません。遺伝子は「牛」を意識しています。そして最も重要なことは、人間(ヒト)も牛も動物であって、動物が動物を食料とするのは原則として「宇宙の生命秩序」および「宇宙法則」違反なのです。

ところが現実は、この法則を犯し違反する人間や動物の弱肉強食が多いために、戦争や抗争がこの世に絶えません。万人が真に平和を願い求めるなら、宇宙の生命秩序と法則に基づいた食生活が必要で、宇宙法則にしたがった食生活を行ってはじめて、心身は平和の生理と心理を得るのです。肉食の習慣が今や世界を覆ってしまっているので、口でどんなに「平和の世界」の実現を唱えても空念仏になってしまうのです。

この地上に平和の楽園を築きたかったら、せめて知性と理性を授かっている人間だけは肉食(動物性食)をやめるのが基本です。肉食は争いの病理と心理をもたらす悪食です。ですからこの悪癖をやめられなければ、地上に争いは絶えず、人間界に戦争は絶えません。肉食はヒトの生理心理を戦争に駆り立てるのです。母乳は肉食の部類の一つです。お母さんの身体から分泌される液ですから、動物性食です。しかし、赤い血のままではなく白い乳液化は植物化への神の計らいなのです。

さて、赤ちゃんは「生命秩序」によって、体内で形成され生育します。「宇宙法則」によって発育し出産されます。赤ちゃんは「生命秩序・宇宙法則」の体現者です。「生命秩序・宇宙法則」を別名「本能」といってもよいでしょう。赤ちゃんの本能は、生命秩序・宇宙法則そのものです。ですからお母さんの日々の食べものと食生活と生活習慣が正しければ、赤ちゃんは本能の働きに従ってごきげんよく安心してすくすくと育ちます。

しかしお母さんの食べものが間違っていると、赤ちゃんは機嫌悪く、いろいろの病気によって親に間違いを気づかせようと反抗します。育てにくい子や育ちの悪い子は、その子が悪いのではなく、両親の食べものと食生活と生活習慣が宇宙法則に違反しているからです。子が悪いのではなく、親が悪いのです。

さて、母乳が出ない場合、赤ちゃんへ与える飲みものは、玄米ミルク（玄米乳）が最良です。玄米ミルクがなぜよいかというと、第一に玄米は植物です。今後、生命科学のうち遺伝子生命学や遺伝子工学が発達すると、玄米の遺伝子がヒト細胞遺伝子を生成養育修復する性能に優れていて、非常に協調調和しやすいことが証明されるはずです。この点からも、牛乳原料の人工ミルクよりも玄米ミルクや玄米スープ、玄米クリーム、玄米がゆなどの方がよいわけです。

私の娘は玄米スープ（当時はコッコーと称した）で生命を甦らせ、育てられたのですが、その後、同様の疾病におちいった沢山の赤ちゃんが玄米ミルクによって救われ、元気に育っています。

自然食品店などで売っている既成の玄米粉や玄米ミールを用いて作る方法もありますが、玄米がゆを炊いて作るのが最良です。母子は同じものを食べることが大変に重要で、親と子の心と体の生命波動がよりよく、より正しく共鳴共振し合うためには、お母さんは玄米がゆを、赤ちゃんは玄米がゆから作ったミルクを食べるのがなによりです。赤ちゃんには玄米ミルクを与え、父母は異なった好みの食事をするというのでは、母乳を出せるようにするチャンスを生涯なくしてしまうかもしれず、さらに親子の心が後々離れやすい関係になりかねません。

わが子を健全に育てるには、玄米ミルクはもとより、子供に与える日々の食べものは、お母さんが心をこめた愛情豊かな食事が基本です。お母さんの手による食べものは、どんなに質素でも粗末に見えても、愛という命がこもりますから、食品会社の工場で大量生産される人工栄養食品などよりもはるかに実質的に価値が高いものです。

玄米ミルクの作り方

〔材料〕普通の鍋で炊く十倍がゆの場合

玄米—半カップ

水—五カップ

〔作り方〕

①鍋に分量の水と玄米を入れ、強火にかける。

②噴いたら弱火にし、焼き網の上にのせ、フタの縁にブクブク泡が出るくらいの火加減にして四時間炊く。鍋は小さすぎず、大きすぎず、ほどよい大きさのもの。フタの周りから蒸気が立

つくらいでよい。途中で絶対にフタを開けないこと。

③しめらせて絞った三角袋に②の炊きあがったおかゆを玉じゃくしで一、二杯入れ、三角袋の両端を持っておかゆが入ったところまで、くるくる巻き込んでいき、ボウルに入れ、木べらで上からしごいて、のり状のおねばを絞り出す。このおねばを玄米クリームという。

④絞り出したクリームは、授乳に要する一、二日分相当量を、陶器かガラス容器にとり、残余は母親なりの食事に供してよい。

⑤玄米ミルクを赤ちゃんにはじめて飲ませるときは④の玄米クリーム小さじ一杯を一〇〇ccの白湯で溶いて与える。味はつけず、白湯を与える調子で与えればよい。空腹なら飲むはずであり、いくどか試みても飲まない場合は、クリームの量を加減して様子を見るとともに、なかなか飲まないようなら、米飴でかすかな甘みをつけてみるのもよい。

私の娘の場合は、私たちが玄米食に無知だったゆえに、玄米ミルクに少量の塩を入れて与えていました。食養療法の本に「病気治しには少量の塩が不可欠」と書かれていたため、娘の病気を治したい一心で少量の塩を玄米ミルクに加えたのでした。後に知ったのですが、血潮の固まりにもたとえられる赤ちゃんにはあえて塩は必要なく、塩が加わった分だけ娘の成長はこぢんまりに押さえられた格好です。

赤ちゃんは日に日に発育成長の過程にあるわけですから、塩気よりも甘みが必要です。母乳がほんのりした甘みを有するのは、成長を促すに必要な甘味成分によるのです。

昔の話ですが、粉ミルクも玄米ミルクも、お米さえない時代、しかも男親だけでの子育てにおいて、お酒を白湯や水で割って母乳代わりにしたり、甘酒や米飴を白湯で溶いて母乳代わりにして育てられた例を聞きます。お米があって、しかもおも湯やおかゆをこしらえる知識と実行力さえあれば、母乳が出ないからといって、牛の乳に頼る必要はありません。現代医学と栄養学は、「人工粉ミルクは科学的に栄養調整された安全食品」と推薦しますが、お米の栄養成分の方が、牛乳成分よりもはるかに優れています。お米は脳を発達させる成分に優れていますが、牛乳は脳を発達させる成分に乏しく、人工ミルクにはそれが補充されているとはいえ、天然自然の栄養成分と、人工的に添加された栄養成分とでは、赤ちゃんの脳への作用は違います。生命力という点からも大変な違いです。

「実るほど　あたまを垂れる　稲穂かな」という歌がありますが、単なる豊作光景を描写した歌ではありません。よく実ったお米には、脳の発達を健全にして人間自身を謙虚に優雅にする成分がゆたかに含有されている。この歌はそうした意味をも含んでいるのです。

これに引きかえ牛乳及び人工ミルクは、前に述べたとおり、摂れば摂るほど体質を劣化させかねないことがすでに、あまりにも沢山実証されているではありませんか。便利なものには必ず落とし穴があるのです。

老人のための玄米食

いろいろの理由によって、普通の玄米ごはんを食べられない老人の場合はどうするか。体の状態や状況によりけりですが、

・軟らかく炊けばなんとか食べられる

この状況なら、軟らかく炊いたごはんをゆっくり噛みながら、たとえよく噛めない場合でも唾液を沢山出すようにして食べましょう。粒食ができるということは、生命力を強め、永らえさせる上でたいへんありがたいことです。

・粒食ができない

したがって、おかゆやおじや、おかゆパンなどにして食べるのもよいことです。

粒食ができなければ、クリーム状にしましょう。のどを詰まらせかねない場合は、乳児同様に、クリームを白湯で溶いて薄め、液体状にして飲ませる。玄米ミルクのほか、玄米スープも活力づけになる貴重な飲みものです。軟らかく炊いた玄米ごはんを、少量の白湯か味噌汁で摺り鉢ですって、クリーム状にしてもよいでしょう。

以上のように玄米は、年齢や体調や生活の状況に応じていろいろの摂り方ができます。工夫と摂り方次第で「食べものは最高の薬」となるのです。とくに玄米は、食べものの中で最高に調和のとれた栄養成分を持ち、なによりも天地自然の生命力に富んだ種子です。この尊い種子を食べものとして大宇宙（大自然・神仏）から恵まれるのですから、正しい方法（宇宙法則）によって授からなくては申し訳ありません。

真生活法（マクロビオティック）について

マクロビオティック——macrobiotique（フランス語）、英語ではマクロバイオティックス macrobiotics、形容詞はマクロバイオティック macrobiotic。元々の意味は「長生術、長生き法」です。故桜沢如一氏の提唱による〝正食法〟の意味で使われています。

宇宙の秩序、宇宙法則にのっとった人生の道のこと。大自然とともに生きる生活法のこと。

現在このマクロビオティックは、マクロビオティック運動として国際的に関心を集め、特にアメリカ、ヨーロッパ各地、インド、ソ連などにおいて熱心に活発な運動が展開されています。その根幹は、肉食と砂糖を多用する生活では現代病のガンから逃れることが不可能で、玄米菜食を中心にした質素な食生活によって健康な生活をとり戻そうということが大きな目的です。

またアメリカでは、肥満を解消しシミやソバカスなどの肌の汚れを解消するために、美容と健康のためにはお米が最良という認識が広まりつつあります。肉食人種と穀物菜食人種を比較した場合、たしかに米食など穀食人種の方が肌は美しく健康です。皮膚は内臓全体の健康状態を表徴する鏡ですから、肌にシミやソバカスやイボなどができていたり、荒れているということは、内臓がそれに比例して不健康に汚れ傷み病んでいることを物語っています。

日本では、このマクロビオティック活動を、日本CI協会、正食協会、宇宙法則研究会が中心となって行っています。この本を読まれて、マクロビオティックに関心をもたれ、さらに知識を深めたいと思う人は他の拙書をお読みいただければ光栄です。

なお、料理教室や関連行事などに関しては、左記のいずれかの会にお問い合わせ下さい。

・日本CI協会　☎〇三（三四六九）七六三一
〒一五一—〇〇六五　東京都渋谷区大山町一一—五

・正食協会　☎〇六（六九四一）七五〇六
〒五四〇—〇〇二一　大阪市中央区大手通二—二—七

・宇宙法則研究会　☎〇三（三三二〇）九七九六
〒一六七—〇〇五一　東京都杉並区荻窪四—二八—一二　ピースビル荻窪三階

あとがき

人間は一体何のために生きるのか、人生とは何か。私はある時期まで、この問いに全く答えられなかった。わからなかった。極端な表現をするなら、生きているから生きている、生があるから生きていかねばならない。そんな惰性的な生き方であった。成人して結婚をして子供が生まれた。この一連の過程は単なる生物生態学的な進行に過ぎなかったような気がする。こんな告白をするのは子供達に申しわけないのであるが、事実だから仕方ない。

娘の病気がキッカケとなって、食べもの生命観が私に生命の眼を開かせてくれた。桜沢如一氏の思想と哲学は、私の生と人生にいくつものヒントを与えてくれて、私の肉体と精神に以前には持ち得なかった活を入れてくれた。

「君はナニのために生きてるのか」

「君の人生はナニか」

桜沢氏の諸著書は私に絶えずそう語りかけた。

生物の最大の務めとして健全な優秀な子孫（種）を残すこと、スキなことをタンノーするほどやりぬき、タノシイタノシイ、オモシロイ、ユカイナユカイナ人生をおくり、しかもスベテの人々に永く永く喜ばれ、感謝される人生を過ごす、これを実現する知恵と技術を桜沢氏は無双原理と真生活法として示した。

この体験記は、おくればせながら生と人生のナニたるかに気づいた傲慢《ごうまん》でオロカモノの生活実験の中間報告といえる。しかし、実験報告といえるほど精細に学術的に記録したものではなく心苦しい。「食は命なり」という私なりの確認報告書といった方がよいかしれない。

それにしてもお米は、素晴らしい、ありがたい食べものだ。ご先祖にどんなに感謝しても、しきれない。この感謝の心と正しい食事法、生活法を、子孫に正しく伝えたい。「お米の命は、あらゆる食べものの中で、最良で最高」といえる。古来、天地人の生命波（生命エネルギー、振動波）を、最良最高度に調和させて生産された食糧にほかならない。お米の命は、全身の細胞を健全に活動させ、代謝させ、よみがえらせるが、とくに脳細胞を育み活性化する性能に優れている。いわゆる「頭をよくする」成分と生命力に富んでいる。

私たちのご先祖は、お米のこれらの優秀性を見通し確認して、この国と国民の主食にと伝承させてくだされた。お米がなぜ優秀な食糧であるかの根拠などについては別の著書に述べるとして、私は玄米食を続けてみて、我が国のご先祖（神々をはじめとしてすべての先祖）は「いのち」を価値観の基本および基準にしていたと痛感するとともに、考えさせられた。すべてのモノに生命（いのち）は宿っている。この生命観の一端を「八百万の神」の考え方にみることができよう。

明治の文明開化後の西洋化と、昭和の敗戦後のアメリカ化は、日本人の価値観を「いのち」よりも「カネ（金銭）」に変えた。〝食〟に関していえば、分析した栄養素の数値を価値の基準にしてしまった。食べものは生命力こそ重要な価値なのに、換金性能が重要視されて、利潤効率と市場性から大量生産方式による生命力乏しい農畜産物や加工食品が〝食〟の主体と主流をなしている。このような状況では、国民の健康や生き甲斐は保障もされなければまっとうもされない。偽装食品に象徴されるように、ゴマカシとインチキの食品が日常化したのに比例して、日本人全体が、ゴマカシとインチキの体質気質に堕落してしまった。ひ弱で幼稚でわがままで気まぐれで、大人は若年性痴呆症と骨粗鬆症で人工人間化して、このような状態や状況でよいわけはない。

時代を背負う子供達は、元気ハツラツ、いのちハツラツ人間になってほしい。それには現代《いま》の大人達が〝食べ物のいのち〟を見直すことからはじめて、〝いのち〟の価値観をモノサシに食い改めをして、暮らしを改める必要がある。

日本の気候風土に生活するのには、お米の生命（いのち）をいただくのがいちばん。お米を正しく食べる生活を日常としてまずは健康で平和な心身と社会を確立しようではないか。玄米食には、その生命力と生活力が備わっている。

増補改訂版の出版に際して、新泉社石垣雅設代表および竹内将彦、兵頭未香子両氏に大変ご協力をいただいた。心から感謝を申し上げます。

平成一四年九月二十二日

石田英湾

著者略歴

石田英湾（いしだ　えいわん）
1955年　群馬県立高崎高等学校卒業。
1975年　小説「ウォーリィの二日」により第10回上毛文学賞受賞。
現在「群馬・マクロビオティック・センター」および「お米を正しく食べよう運動」主宰。日本ＣＩ協会顧問。宇宙法則研究会代表。
著書『「元気」の革命』（1984年，新泉社）
『食べもので病気は治せる』（1988年，新泉社）
『GENMAI』（1989年，Japan publications inc.）
『アトピーを家庭で治す』（1991年，新泉社）
『玄米食は病気を治す』（1995年，新泉社）
『言霊アワ歌の力』（1996年，群馬・マクロビオティック・センター）
『ひえ・かぜ体質を治す』（1999年，あさを社）
現住所　高崎市和田町７号13番地

増補改訂版　生活革命＝玄米正食法

1981年２月１日　第１版第１刷発行
2002年11月11日　増補改訂版第１刷発行

著者＝石田英湾
発行所＝株式会社　新泉社
東京都文京区本郷2-5-12
TEL 03(3815)1662　FAX 03(3815)1422
振替・00170-4-160936番
印刷・相良整版印刷　製本・榎本製本
ISBN4-7877-0211-4　C2077

新版　食べもので病気は治せる

石田英湾 著

四六判・336 頁・定価 1900 円（税別）

「すべては食にあり」といわれるように，正食医学では医食同源の根本にもとづき，患者の自然治癒力を引き出すことによって病気を治療する。「いかなる病気も 20 日で治る」と豪語する玄米正食の先覚者桜沢如一の高弟，大森英桜の理論と治療の実績を紹介。現代医療に対する批判が高まるなか，正しい食物を，正しく料理し，正しく食べることによって，病気を克服するための理論と実践の書。

新版　「元気」の革命

石田英湾 著

四六判・272 頁・定価 1800 円（税別）

「陰陽は宇宙の根本法則である」と言い切る著者が，玄米正食運動の先覚者であった桜沢如一の理念を，わかりやすく，だれにでも親しめるように解説。自らの体験を通して，病気のある家庭／ない家庭，強者と弱者，人間生命と宇宙生命の一体性などを考察し，食養による生活対処法に説きおよぶ。現代社会のなかで「元気」になるための「新しい生き方の実践法」を提案する。

増補版　玄米食は病気を治す

石田英湾 著

四六判・322 頁・定価 1900 円（税別）

健康が確立し，万物が共存共生できる食生活法の提案。充実した健全な生命力は，天地自然から授かるもの。“一物全体食”“身土不二”“旬を食べる”が玄米食の基本で，玄米食は現代人に残された最高の自然との接点のひとつであると主張。増補版の刊行にあたって二つの章をあらたに追加し，現代米よりも栄養価が高く，医療効果の大きい古代米の復活と，環境＝いのちの原理を解説。